Nietzsche
para estressados

ALLAN PERCY

Nietzsche
para estressados

SEXTANTE

Título original: *Nietzsche para estresados*
Copyright © 2009 por Allan Percy
Copyright da tradução © 2011 por GMT Editores Ltda.
Todos os direitos reservados. Nenhuma parte deste livro pode ser utilizada ou reproduzida sob quaisquer meios existentes sem autorização por escrito dos editores.
Direitos de tradução adquiridos mediante acordo com Sandra Bruna Agencia Literaria, S.L.

tradução
Rodrigo Peixoto

preparo de originais
Melissa Lopes Leite

revisão
Hermínia Totti, Taís Monteiro e Tereza da Rocha

projeto gráfico e diagramação
DTPhoenix Editorial

capa
Miriam Lerner

impressão e acabamento
Lis Gráfica e Editora Ltda.

CIP-BRASIL. CATALOGAÇÃO-NA-FONTE
SINDICATO NACIONAL DOS EDITORES DE LIVROS, RJ

P485n   Percy, Allan (1968-)
    Nietzsche para estressados / Allan Percy [tradução de Rodrigo Peixoto]; Rio de Janeiro: Sextante, 2011.

    Tradução de: Nietzsche para estresados
    ISBN 978-85-7542-643-2

    1. Nietzsche, Friedrich Wilhelm, 1844-1900. 2. Aconselhamento filosófico. 3. Filosofia alemã. I. Título.

11-0821

CDD: 100
CDU: 1

Todos os direitos reservados, no Brasil, por
GMT Editores Ltda.
Rua Voluntários da Pátria, 45 – Gr. 1.404 – Botafogo
22270-000 – Rio de Janeiro – RJ
Tel.: (21) 2538-4100 – Fax: (21) 2286-9244
E-mail: atendimento@sextante.com.br
www.sextante.com.br

Prólogo

Filosofia para o dia a dia

NIETZSCHE PARA ESTRESSADOS é um manual inteligente, provocador e estimulante que reúne 99 máximas do gênio alemão e sua aplicação prática a várias situações do dia a dia. A filosofia de Nietzsche é de grande utilidade na busca de uma solução para uma série de problemas, tanto na vida pessoal quanto na profissional.

Este breve curso de filosofia cotidiana foi criado para nos auxiliar naqueles momentos em que precisamos tomar decisões, recuperar o ânimo, encontrar o caminho certo quando estamos perdidos e relativizar a importância dos fatos da vida. É indicado para pessoas que procuram inspiração no pensamento do filósofo mais influente da era moderna para combater as angústias e os medos dos dias de hoje.

Cada capítulo é iniciado por um aforismo desse grande pensador, seguido de uma interpretação atual que nos ajuda a alcançar o bem-estar.

No final, há um anexo que explica o valor terapêutico da filosofia e suas aplicações no cotidiano. Conheceremos o trabalho dos filósofos terapeutas, popularizado pelo livro *Mais Platão, menos Prozac*, de Lou Marinoff, e entenderemos como máximas dos pensadores de todos os tempos podem oferecer uma ajuda da melhor qualidade.

Antes de conhecer seus pensamentos, saiba um pouco sobre a vida do grande mestre.

Friedrich Wilhelm Nietzsche nasceu em 1844, na cidade alemã de Röcken. Seu pai era pastor evangélico e faleceu quando o filho tinha 5 anos. O menino cresceu em um ambiente de pietismo protestante dominado por mulheres.

Após frequentar um internato, onde foi apresentado à Antiguidade grega e romana, estudou filosofia clássica nas universidades de Bonn e Leipzig. Nessa última, entrou em contato com as ideias de Schopenhauer e com a música de Wagner, compositor que admirava e que mais tarde conheceria pessoalmente.

Em 1869, com apenas 25 anos, Nietzsche já era professor de filologia clássica na Universidade da Basileia. No entanto, sua atividade docente foi interrompida em 1870, quanto estourou a Guerra Franco-Prussiana.

Nietzsche participou do conflito como enfermeiro, até ser obrigado a abandonar o front por causa de uma disenteria, da qual nunca se recuperou totalmente.

Em 1881, conheceu Lou Andreas Salomé, mulher por quem se apaixonou perdidamente mas que acabaria se casando com um amigo seu. A rejeição ajudou a consolidar sua proverbial misoginia.

Obrigado a se aposentar prematuramente por conta de sequelas da doença, Nietzsche viveu na Riviera francesa e no norte da Itália, lugares que considerava ideais para pensar e escrever. Sozinho e frustrado por suas obras não alcançarem a acolhida desejada, foi vítima de seus primeiros acessos de loucura em 1889, quando morava em Turim e estava praticamente cego.

Após longas temporadas internado em clínicas da Basileia e de Jena, Nietzsche passaria o fim da vida na casa da mãe, que cuidou dele até morrer, deixando-o ao encargo da irmã. Nietzsche faleceu em 1900.

Seu ambicioso legado filosófico até hoje não perdeu o poder inspirador e instigante.

1

Quem tem uma razão de viver é capaz de suportar qualquer coisa

QUANDO PERDEMOS DE VISTA nossos objetivos fundamentais, somos dominados pelo estresse e pela desorientação. A sensação de "trabalhar muito para nada" e o esgotamento que dificulta a concentração podem ser combatidos com a definição de uma meta clara, que ofereça sentido ao que estamos fazendo nos bons e nos maus momentos.

Para o psicólogo Viktor Frankl, se o indivíduo encontra um sentido para sua vida, é capaz de superar a maior parte das adversidades. A logoterapia, criada por ele, busca exatamente isto: em vez de escavar o passado do paciente, tenta explorar o que é possível fazer com o que ele tem aqui e agora. Em outras palavras, devemos encontrar um motivo para nos levantar da cama todas as manhãs.

O problema de muitas pessoas insatisfeitas com sua existência é que elas não pensam na vida que gostariam de viver. E a primeira condição para encontrar-se é saber aonde se quer chegar.

Como fez Frankl meio século mais tarde, Nietzsche destaca a importância de se buscar uma "razão de viver". Quando nossa vida se torna plena de sentido, de uma hora para outra os esforços já não são cansativos, e sim passos necessários em direção à meta que estabelecemos.

2

O destino dos seres humanos é feito de momentos felizes e não de épocas felizes

A FELICIDADE É FRÁGIL E VOLÁTIL, pois só é possível senti-la em certos momentos. Na verdade, se pudéssemos vivenciá-la de forma ininterrupta, ela perderia o valor, uma vez que só percebemos que somos felizes por comparação.

Após uma semana de céu nublado, um dia de sol nos parece um milagre da Criação. Do mesmo modo, a alegria aparenta ser mais intensa quando atravessamos um período de tristeza. Os dois sentimentos se complementam, pois, da mesma forma que a melancolia não é eterna, não poderíamos suportar 100 anos de felicidade.

Imaginar que temos obrigação de ser felizes o tempo todo e em todo lugar é um grande fator de estresse na sociedade moderna. A negação da tristeza dispara o consumo de antidepressivos e a busca de psicoterapias e nos leva a adquirir coisas de que não precisamos. Não exibir um sorriso permanente parece ser motivo de vergonha.

Contra essa perspectiva falsa e infantil, Nietzsche nos lembra que a felicidade vem em lampejos e que tentar fazer com que ela dure para sempre é aniquilar esses lampejos que nos ajudam a seguir em frente no longo e tortuoso caminho da vida.

3

Nós nos sentimos bem em meio à natureza porque ela não nos julga

Nós, SERES HUMANOS DO SÉCULO XXI, estamos "desnaturalizados" e isso muitas vezes nos faz parecer extraterrestres em nosso próprio planeta. Mesmo acreditando que a cultura e a civilização tenham suprido nossa porção mais animal e instintiva, ainda precisamos manter contato com o mundo natural.

Para tratar quadros de ansiedade que nascem do excesso de trabalho e de uma longa permanência na selva de pedra, escapadas de dois ou três dias para a natureza podem ser mais eficientes do que a ingestão de medicamentos.

Ao sentir o cheiro de terra fresca, o ar limpo e o silêncio, que só é quebrado pelas pequenas criaturas ao redor, reencontramos nossa essência por tanto tempo abandonada.

Como diz Nietzsche, na cidade precisamos representar um papel porque estamos muito preocupados com o que pensam de nós. Mas, ao voltar à natureza, podemos nos dar ao luxo de sermos nós mesmos. Não precisamos nos vestir bem, falar ou atuar de maneira especial. Basta nos deixarmos levar pelo mundo natural em direção ao nosso interior, onde um manancial de tranquilidade nos espera.

4

Precisamos pagar pela imortalidade e morrer várias vezes enquanto estamos vivos

NIETZSCHE SUGERE QUE NÃO HÁ apenas uma morte ao longo da existência humana. No decorrer da vida, vamos vencendo etapas e devemos morrer – simbolicamente – para podermos nascer no estágio seguinte.

Essa transição de uma vida a outra é o que as tribos mais ligadas à terra chamam de "rito de passagem", um momento que nossa civilização vem abandonando.

O antropólogo catalão J. M. Fericgla comenta o assunto:

> Sem entrar no mérito da religião, a primeira comunhão era tradicionalmente um rito de iniciação: uma porta simbólica que conduzia da infância à puberdade. Os meninos ganhavam suas primeiras calças compridas após a cerimônia, transformando-se em homenzinhos. Isso coincidia com a permissão para sair à rua sozinhos, mesmo que apenas para comprar pão. O padrinho costumava abrir uma conta-corrente no nome do afilhado. Também no momento da primeira comunhão os meninos ganhavam seu primeiro relógio, o que significava um controle adulto do tempo.

Um bom exercício para tomar consciência das vidas que existem dentro de nossa vida é fazer uma relação das etapas que já superamos e verificar se houve algum rito de passagem entre uma e outra. Depois podemos perguntar a nós mesmos: "Qual é a próxima vida em que quero nascer?"

5

O valor que damos ao infortúnio é tão grande que, se dizemos a alguém "Como você é feliz!", em geral somos contestados

NÃO É LUGAR-COMUM DIZER que os povos aparentemente mais primitivos demonstram ser mais felizes que a sociedade ocidental contemporânea. Muitos se perguntam como pessoas que não têm nada ou quase nada podem ser mais bem-humoradas do que outras que trabalham para acumular todo tipo de bens.

Será que a contestação, como diz Nietzsche, é uma marca de nossa civilização?

Nas conversas típicas do ambiente de trabalho, nos bares e nos restaurantes as queixas são intermináveis: reclamamos das taxas de juros, do custo de vida, do ruído e da poluição que assolam as grandes cidades. Talvez não estejamos fazendo nada para remediar esses fatores, mas gostamos de nos queixar, o que acaba gerando angústia e estresse.

O estresse não nasce das circunstâncias externas, mas da interpretação que fazemos delas. Talvez o segredo da felicidade seja deixar de nos preocuparmos com fatores e estatísticas que não dependem de nós e nos divertirmos mais.

6

Nosso tesouro está na colmeia de nosso conhecimento. Estamos sempre voltados a essa direção, pois somos insetos alados da natureza, coletores do mel da mente

Como Schopenhauer, Nietzsche em sua juventude se interessou pelas várias filosofias que florescem na Índia.

Herdeiro de uma longa tradição espiritual voltada ao conhecimento pessoal, Ramana Maharshi talvez tenha sido o último "grande guru" a trabalhar com o instrumento que nos torna humanos: a mente.

Ramana estimulava seus discípulos a perguntarem a si mesmos: "Quem sou eu?" Quando soube que tinha câncer, tranquilizou-os dizendo: "Não vou a lugar nenhum. Para onde poderia ir?"

Aqui Nietzsche compara a conquista da mente a uma abelha voando em direção à colmeia para colher o mel mais puro. Maharshi descrevia da seguinte forma a viagem às profundezas do nosso interior:

> Assim como o pescador de pérolas prende uma pedra na cintura e desce ao fundo do mar para buscá-las, cada um de nós deve se munir de desapego, mergulhar dentro de si mesmo e encontrar sua pérola.

Para encontrar essa pérola não é preciso peregrinar à Índia nem se entregar a complexos exercícios espirituais. Basta olharmos tranquilamente para o nosso interior.

7

A palavra mais ofensiva e a carta mais grosseira são melhores e mais educadas que o silêncio

A MAIOR PARTE DAS GUERRAS PSICOLÓGICAS é iniciada mais pelo que não se diz do que pelo que se diz.

Vamos imaginar uma cena: *A* está chateado com *B* e parou de falar com *B* desde que este se esqueceu de lhe dar os parabéns pelo aniversário. *A* deveria ter dito: "Você não sabe que dia foi ontem?", mas, como ficou magoado com a falta de atenção do amigo – que, na realidade, foi apenas um esquecimento –, resolveu pagar na mesma moeda: o silêncio. *B* acabou se chateando com *A*, que de uma hora para outra deixou de atender seus telefonemas e, quando conseguiram se falar, não se mostrou nada gentil.

São comportamentos infantis, porém muito mais comuns do que se imagina. Quantos casais brigam por mal-entendidos que duram dias ou meses até serem esclarecidos? A falta de comunicação também está na origem de muitos conflitos vividos no ambiente de trabalho.

Não dizer as coisas a tempo é um importante fator de estresse no mundo tumultuado em que vivemos, pois possibilita interpretações equivocadas que acabam pesando contra nós.

Nietzsche, que não tinha papas na língua, afirma que é melhor expressar nossos sentimentos – mesmo sem encontrar as palavras adequadas – do que ofender com o silêncio.

8

Nossa honra não é construída por nossa origem, mas por nosso fim

COMO JÁ DISSEMOS, AS PESSOAS mais felizes e realizadas são as que sabem aonde querem chegar e têm metas. Podemos alcançar nossos objetivos de forma mais ou menos eficaz, mas o fato de termos vivido em função de algo acrescenta um valor inestimável à nossa existência.

Quando enxergamos a vida dessa maneira, nossa origem humilde e os erros que porventura tenhamos cometido no caminho perdem a importância. Como diz o Corão: "A Deus não importa o que você foi, mas o que será a partir deste momento."

Para ver com clareza e atuar de forma coerente, precisamos de algo parecido com um roteiro pessoal. Experimente o seguinte exercício:

1. Pegue uma folha de papel e trace nela uma linha vertical.
2. Escreva à esquerda um resumo do que foi sua vida até hoje.
3. À direita, descreva o caminho que gostaria que ela tomasse a partir deste momento.
4. Logo abaixo, anote os passos necessários para seguir em frente com seu roteiro.

E mãos à obra!

9

O homem que imagina ser completamente bom é um idiota

Se a consciência nos torna humanos, a imperfeição também é um traço distintivo de nossa espécie. Passamos mais tempo reparando erros do que construindo coisas de valor.

Assumir essa característica da nossa condição nos ajuda a ser humildes e, o que é mais importante, nos faz tomar consciência de quanto ainda precisamos nos aprimorar. Todo fracasso ou erro nos ensina como fazer melhor.

As pessoas mais inflexíveis e perfeccionistas sofrem as consequências de seus atos imperfeitos. Se algo dá errado, costumam colocar a culpa nos outros e ficam descontroladas quando alguém mostra qualquer falha que possam ter cometido.

Nietzsche nos dá o seguinte conselho: é inútil querermos ser bons o tempo todo e fazer tudo certo – o que importa é estarmos dispostos a fazer um pouco melhor hoje do que fizemos ontem.

A palavra japonesa *wabi-sabi* define a arte da imperfeição: no que é incompleto, irregular e antigo existem vida e beleza, pois aí está contido o desejo que a natureza tem de aprimorar a si mesma.

10

As pessoas que nos fazem confidências se acham automaticamente no direito de ouvir as nossas

Os jornalistas sabem que informação é poder. Por isso é importante medir o que dizemos e, sobretudo, a quem dizemos.

Às vezes encontramos pessoas que rompem imediatamente o protocolo e nos transformam em parte integrante de suas vidas. Mas o que pode ser entendido como um ato de confiança também envolve riscos: quando nos transformam em seus confidentes, esses indivíduos nos incluem em seu círculo íntimo e nos obrigam a acompanhar sua evolução pessoal. Dito de outra forma: nós nos transformamos em espectadores forçados de um mundo pessoal que até então desconhecíamos.

Além da pressão gerada por ouvir confidências, há o perigo do qual nos previne Nietzsche: o outro pode estar esperando de nós uma atitude de confiança semelhante para, assim, completar o círculo iniciado por ele.

Por tudo isso, é importante sermos cuidadosos ao escutar – reservando o entusiasmo para as pessoas mais íntimas – e ainda mais cuidadosos ao falar.

11

Precisamos amar a nós mesmos para sermos capazes de nos tolerar e não levar uma vida errante

AQUI ESTÃO CINCO PASSOS para aumentar a autoestima:

1. **Viva para si mesmo, não para o mundo.** As pessoas que não sabem amar a si mesmas buscam constantemente a aprovação alheia e sofrem quando são rejeitadas. Para quebrar essa dinâmica, devemos admitir que não podemos satisfazer a todos.
2. **Fuja das comparações.** Elas são uma importante causa de infelicidade. Muita gente tem qualidades e atributos que você não tem, mas você também possui virtudes que não estão presentes nos outros. Pare de olhar para os lados e trabalhe na construção de seu próprio destino.
3. **Não busque a perfeição.** Nem nos outros nem em si mesmo, já que a perfeição não existe. O que existe é uma grande margem para melhorar.
4. **Perdoe seus erros.** Especialmente os do passado, pois já não podem ser contornados nem têm qualquer utilidade. Aprenda com eles, para não repeti-los.
5. **Pare de analisar.** Em vez de ficar pensando no que deu errado, é muito melhor agir, porque isso permite aperfeiçoar suas qualidades. Movimentar-se é sinal de vida e de evolução.

12

Só quem constrói o futuro tem o direito de julgar o passado

Em geral, quem constrói o futuro está muito ocupado para julgar o passado.

Desde pequenos, quando recebemos notas na escola, nos acostumamos com avaliações e julgamentos. Ao julgarmos o passado – de uma época ou de uma pessoa –, sentimos a falsa segurança de ter fechado uma porta.

Ao mesmo tempo, todo julgamento esconde o orgulho de quem se considera dono da verdade. Também revela grande insegurança. De sua posição inatingível, aquele que julga se comporta como soberano e crítico das ações alheias.

Como a vida é um caminho para a frente, é muito mais produtivo construir o que vai acontecer do que analisar o que já passou, como nos diz Nietzsche. Além disso, as pessoas que agem estão livres de preocupações, que normalmente ocupam a cabeça das que não se movem.

Podemos observar o mundo de duas maneiras: virando a cabeça para trás ou prestando atenção no que temos à nossa frente. E você? Que caminho prefere?

13

Alegrando-se por nossa alegria, sofrendo por nosso sofrimento – assim se faz um amigo

OSCAR WILDE DIZIA que não é difícil encontrar pessoas dispostas a se compadecer de nossas provações, mas são raras aquelas que se alegram sinceramente com nossos triunfos. Um amigo assim, segundo o autor de *O retrato de Dorian Gray*, deve ter uma natureza muito pura.

Por que é tão difícil compartilhar os êxitos? Provavelmente porque, nesses momentos, a comparação é inevitável. Em vez de festejar a boa notícia, o interlocutor pergunta a si mesmo: "Por que não eu?"

Os verdadeiros amigos assinam um pacto de nobreza em relação a todos os aspectos do destino humano.

Sobre isso, Voltaire, que viveu um século antes de Nietzsche, afirmou:

> A amizade é um contrato tácito entre duas pessoas sensíveis e virtuosas. Sensíveis porque um monge ou um solitário podem ser pessoas de bem e mesmo assim não conhecer a amizade. E virtuosas porque os malvados só têm cúmplices; os festeiros, companheiros de farra; os ambiciosos, sócios; os políticos reúnem os partidários ao seu redor; os vagabundos têm contatos; e os príncipes, cortesãos – mas só as pessoas virtuosas têm amigos.

14

Não devemos ter mais inimigos que as pessoas dignas de ódio, mas tampouco devemos ter inimigos dignos de desprezo. É importante nos orgulharmos de nossos inimigos

DIZEM QUE PASSAMOS metade da vida resolvendo problemas. Isso é perfeitamente humano. A questão é saber se eles merecem a atenção que lhes dedicamos.

Utilizando a linguagem cinematográfica, alguns problemas são grandes estreias, outros são filmes clássicos – que às vezes voltam a entrar em cartaz porque ainda não foram resolvidos – e, por fim, existem os filmes B, que são a maioria.

A arte de viver consiste em reservar nossas forças para os primeiros. Como nos advertiu Buda há dois milênios e meio: "Quem não sabe julgar o que merece crédito e o que merece ser esquecido presta atenção ao que não tem importância e se esquece do essencial."

Para saber de que tipo são nossos problemas – nossos principais inimigos –, o psicólogo californiano Richard Carlson recomenda que façamos a nós mesmos a seguinte pergunta: "Isso vai ter alguma importância daqui a um ano?"

Se a resposta for positiva, é preciso cuidar da questão imediatamente. Se for negativa, é melhor deixar para lá.

15

O sucesso sempre foi um grande mentiroso

MUITAS PESSOAS BEM-SUCEDIDAS costumam dizer que o êxito é um presente envenenado, já que coloca o privilegiado em posição de semideus, achando que estará sempre por cima. Quando a sorte deixa de sorrir para essa pessoa, de uma hora para outra seu mundo vira de cabeça para baixo.

Isso explica por que nas classes sociais mais altas acontecem tantas separações, tantos investimentos arriscados e problemas com entorpecentes – o ego é a droga mais pesada. O fracasso, por sua vez, sempre nos deixa ensinamentos que nos ajudam a melhorar. Vejamos alguns deles:

- Favorece a humildade e nos ajuda a manter os pés no chão.
- Estimula nossa imaginação e nos leva a explorar novas alternativas.
- Faz de nós pessoas mais reflexivas, evitando decisões precipitadas.
- É um convite para recomeçar, compreendendo melhor o mundo à nossa volta.
- Coloca nossa fortaleza à prova e é um aprendizado essencial para aqueles que se dispõem a alcançar algo.
- Abre novas oportunidades que podem levar ao verdadeiro sucesso, que não conheceríamos se tudo tivesse dado certo de primeira.

16

O homem é algo a ser superado. Ele é uma ponte, não um objetivo final

NUMA ENTREVISTA CONCEDIDA no auge da fama, o músico e ator David Bowie afirmou: "Eu sempre quis ser algo mais que humano."

Talvez por isso tenha protagonizado o filme *O homem que caiu na Terra*, que conta a história de um alienígena chamado Newton que vem em busca de uma salvação para a seca que ameaça seu planeta. No intuito de construir uma nave que o leve de volta ao seu mundo, vende artigos de tecnologia avançada e fica milionário.

Esse argumento psicodélico revela uma questão bastante humana: nós nos sentimos parte deste mundo e ao mesmo tempo fora dele. Isso explica por que tanta gente acredita em anjos e fenômenos paranormais em geral.

Nietzsche destaca essa semente divina que vive no espírito humano. Nenhuma outra espécie foi capaz de voar aos céus e, ao mesmo tempo, rastrear as profundezas marinhas. Se conseguimos tudo isso utilizando apenas a décima parte de nosso cérebro, como afirmam alguns cientistas, aonde seríamos capazes de chegar?

Pense nisso quando estiver se escondendo atrás de suas supostas limitações.

17

Falar muito de si mesmo pode ser uma forma de se ocultar

AQUI ESTÃO CINCO MANEIRAS de aumentar a autoconfiança:

1. **Faça com que seus atos falem por você.** Quem precisa expressar constantemente o próprio valor transmite insegurança. É melhor construir em silêncio.
2. **Reconheça seus pontos fortes.** Identifique as virtudes das quais você tem consciência, bem como as que já o destacaram de outras pessoas, e pense em como aproveitá-las em benefício próprio e dos demais.
3. **Neutralize os elementos que podem boicotá-lo.** Algumas atitudes freiam nosso progresso, da mesma forma que relacionamentos negativos minam nossa autoestima. Livre-se deles.
4. **Aproveite as oportunidades.** No trabalho ou no seu círculo social, veja cada nova situação como uma oportunidade para aprender. Essa atitude reforçará sua autoconfiança e sua autoestima.
5. **Pratique exercícios físicos.** A autoconfiança também aumenta quando usufruímos de um corpo saudável para enfrentar a vida. Fazer exercícios com regularidade aumenta a energia e libera endorfina, o hormônio da felicidade.

18

As pessoas nos castigam por nossas virtudes. Só perdoam sinceramente nossos erros

O CONTRÁRIO DO AMOR não é o ódio, mas a indiferença. Quem parece nos detestar nutre, no fundo, uma admiração oculta por nós. A inveja funciona da mesma forma. A fúria do invejoso sempre se direciona para um êxito.

Schopenhauer, filósofo que inspirou Nietzsche, afirmou o seguinte a esse respeito: "A inveja dos homens mostra quão infelizes eles se sentem e a atenção constante que dão ao que fazem os demais mostra como sua vida é tediosa."

Isso não quer dizer que não devemos tomar cuidado com os invejosos, que, cegos pela paixão negativa que os move, podem nos criar problemas. Como falar sobre a inveja não resolve nada – ninguém reconhece essa disfunção emocional –, o mais sensato é evitar envolver o invejoso em nossos planos, pois sua tendência inconsciente será tentar nos boicotar.

Quando falamos sobre um projeto promissor a uma pessoa dessas, ela logo trata de apontar as falhas para nos desanimar, para que não sigamos adiante. Por esse mesmo motivo, convém ocultar nossos êxitos sempre que possível. Dessa forma poupamos sofrimento e evitamos a carga emocional negativa que poderia nos atingir.

19

O reino dos céus é uma condição do coração e não algo que cai na terra ou que surge depois da morte

UMA HISTÓRIA DA TRADIÇÃO ZEN conta que um guerreiro samurai foi ver o mestre Hakuin e perguntou:

– O inferno existe? E o céu? Onde estão as portas que levam a um e a outro? Por onde posso entrar?

– Quem é você? – perguntou Hakuin.

– Sou um samurai – respondeu o guerreiro –, um chefe de samurais. Sou digno do respeito do imperador.

Hakuin sorriu e respondeu:

– Samurai? Você parece um mendigo.

Com o orgulho ferido, o samurai desembainhou sua espada. Estava a ponto de matar Hakuin quando este lhe disse:

– Esta é a porta do inferno.

Imediatamente, o samurai entendeu. Ao guardar a espada na bainha, Hakuin disse:

– E esta é a porta do céu.

20

O homem é, antes de tudo, um animal que julga

Cada opinião que manifestamos – para não falar dos preconceitos – é um filtro que colocamos entre nós e a realidade. Os budistas praticam a meditação para limpar a mente e a visão que têm da vida. Eis um exercício clássico de iniciação:

1. Sente-se sobre uma almofada grande e firme, com a coluna ereta, se possível em posição de lótus ou meio lótus. As pessoas com problemas de flexibilidade podem usar uma cadeira com espaldar reto.
2. Deixe cair as pálpebras – mas não feche totalmente os olhos – e coloque as mãos no colo, de forma que os polegares se toquem, ou então pouse as palmas das mãos suavemente sobre os joelhos.
3. Concentre sua atenção nas narinas, por onde o ar deve entrar e sair bem lentamente. Se achar difícil, conte o número de inspirações até chegar a 100. Se perder a conta, volte ao começo. Quando for capaz de meditar por 15 minutos sem perder a concentração, não precisará mais contar.
4. O objetivo da meditação é esvaziar a mente. Sempre que aparecer um pensamento, imagine que se trata de uma nuvem na qual você põe uma etiqueta com a palavra "pensamento" e deixa passar sem fazer julgamentos. Os pensamentos não são bons nem maus: são nuvens que passam.

21

A melhor arma contra o inimigo é outro inimigo

Uma guerra não é travada apenas nos campos de batalha tradicionais, em que tropas tentam aniquilar umas às outras. Graças à gana de poder de que falava Nietzsche, a luta acontece em qualquer área em que os seres humanos disputem influência.

Existem disputas pelo poder em qualquer grupo de trabalho e até mesmo em um casal, quando os dois membros usam suas armas para conseguir o papel central.

Nós, seres humanos, somos animais territoriais e estamos o tempo todo tentando aumentar nossos domínios, inclusive o emocional.

Como nem sempre encontramos um inimigo para opor ao inimigo que está nos assediando, às vezes precisamos recorrer a outras estratégias. O tratado mais antigo para qualquer tipo de luta nesses casos é *A arte da guerra*, de Sun Tzu, que chega à seguinte conclusão:

> Se conhecer seu inimigo e a si mesmo, ainda que você enfrente 100 batalhas, nunca sairá derrotado. Se não conhecer seu inimigo mas conhecer a si mesmo, suas chances de perder ou ganhar serão as mesmas. Se não conhecer o inimigo nem a si mesmo, pode ter certeza de que perderá todas as batalhas.

22

Os maiores êxitos não são os que fazem mais ruído e sim nossas horas mais silenciosas

Como diz um dos poemas mais célebres do taoísmo, no silêncio e no vazio todas as coisas estão presentes em potencial. A mente é como um copo: antes de enchê-la, devemos esvaziá-la. Do vazio e do não ser surge a criatividade.

Uma das histórias da tradição taoísta fala da dificuldade que temos em viver além do ruído das palavras.

Num templo distante, erguido nas montanhas do Japão, quatro monges decidiram fazer um retiro que exigia silêncio absoluto. O frio era intenso e, quando uma onda de ar gelado entrou no templo, o monge mais jovem disse:

– A vela se apagou!

– Por que você está falando? – repreendeu o monge mais idoso. – Estamos fazendo uma cura pelo silêncio!

– Não entendo por que vocês estão falando em vez de calarem a boca, como foi combinado! – gritou o terceiro monge, indignado.

– Eu sou o único que não disse nada! – declarou, satisfeito, o quarto monge.

23

O indivíduo sempre lutou para não ser absorvido por sua tribo. Se fizer isso, você se verá sozinho com frequência e, às vezes, assustado. Mas o privilégio de ser você mesmo não tem preço

Os verdadeiros desbravadores devem estar sempre dispostos a percorrer sozinhos boa parte do caminho. Na vida, existem momentos para se andar em grupo – na escola ou na universidade, entre amigos, com seu parceiro – e momentos em que o indivíduo precisa ser capaz de tomar o próprio rumo no bosque das decisões.

Quando passamos sozinhos por um trecho crucial, sentimos medo, pois temos que carregar toda a responsabilidade pelos nossos atos. Não há ninguém por perto a quem possamos culpar se algo der errado. E, no entanto, também nos sentimos cheios de coragem.

Alguns viajantes comentam a sensação de força que experimenta aquele que se separa do grupo. Enquanto está com os demais, sua vontade se dilui. Mas, quando toma as próprias decisões, em silêncio, ele se sente senhor do seu destino. De repente, percebe que está extraordinariamente atento ao que acontece ao redor.

Em algum momento você terá medo, mas a consciência de sua própria força será compensadora. Como dizia Nietzsche: "Ser independente é para poucos. É um privilégio dos fortes."

24

Quem é ativo aprende sozinho

Como filósofo, Nietzsche passou longos períodos de solidão e isolamento. Mas ninguém precisa se transformar em ermitão nem se aproximar dos abismos da loucura, como fez o pensador no final da vida: um breve retiro de vez em quando pode ser o suficiente para assimilar o que foi vivido e preparar novos projetos. Esvaziar o copo para voltar a enchê-lo.

O poeta espanhol Antonio Machado disse: "Quem fala sozinho espera falar com Deus um dia." Certamente é em períodos de desconexão como esses que nos voltamos para nosso interior e somos capazes de guiar nossa sorte.

Além dos benefícios psicológicos, a medicina menciona as seguintes vantagens orgânicas de um período de solidão:

1. Redução da pressão arterial.
2. Diminuição do ritmo dos batimentos cardíacos e da respiração.
3. Neutralização do estresse.
4. Fortalecimento do sistema imunológico.
5. Recuperação do ânimo.
6. Estímulo da atividade cerebral.
7. Melhora das tensões musculares.

25

Nossas opiniões são a pele na qual queremos ser vistos

Nossos julgamentos dizem mais sobre nós mesmos do que sobre aqueles que julgamos. Cada opinião é uma gota no vasto oceano do caos e por isso podemos dizer que o homem mais sábio é aquele capaz de passar pelo mundo sem emitir qualquer juízo.

O diretor de cinema japonês Akira Kurosawa lançou, em 1950, a obra-prima *Rashomon*, sobre o caráter volúvel e caprichoso das opiniões, que demonstra que cada um só enxerga o que quer.

O filme trata do estupro de uma mulher e do aparente assassinato de seu marido. Cada uma das testemunhas do crime – que incluem o bandido e o marido morto, representado por um médium – oferece uma versão completamente diferente dos fatos. A conclusão é que não podemos conhecer a verdade.

Da mesma forma que as testemunhas contam a verdade que mais lhes convém, nossa opinião sempre nos denuncia. Ao partilhar um ponto de vista sobre qualquer assunto, revelamos nossas motivações e nossos desejos mais íntimos.

26

Não há razão para buscar o sofrimento, mas, se ele surgir em sua vida, não tenha medo: encare-o de frente e com a cabeça erguida

EM UM DE SEUS AFORISMOS mais célebres, Buda disse que "a dor é inevitável, mas o sofrimento é opcional". Do nascimento à morte, a vida está repleta de dor, mas o sentido que damos a essa dor só depende de nós. Se a encararmos de forma trágica, ela se transformará em sofrimento.

Uma coisa é o que acontece no exterior e outra é o que se dá no interior de cada indivíduo.

Aquele que tem medo de enfrentar a dor a receberá sempre como uma maldição. Ele nunca saberá o que fazer com a escuridão que toma conta de sua vida, que antes parecia tão feliz.

O filósofo lida com a dor e tenta extrair dela um benefício em forma de conhecimento. Mesmo os momentos mais duros da vida, como quando sofremos uma terrível perda, são portas abertas em direção a algo que precisávamos conhecer. Se estivermos conscientes de que todo fim é ao mesmo tempo um começo, a dor e o possível sofrimento serão para nós uma escola que nos permitirá entender mais profundamente o que significa ser humano.

27

A razão começa na cozinha

DA MESMA FORMA que a gastronomia de uma região define seus valores e sua visão de mundo, o que acontece na oficina do estômago – como dizia Cervantes – revela nosso momento espiritual.

O documentário de Doris Dörrie *How to Cook Your Life* (Como cozinhar sua vida) discute questões essenciais sobre a alimentação e sua importância em nosso modo de viver. O filme está centrado no cozinheiro zen Edward Brown, que conta aos discípulos o segredo de sua arte: na verdade, são os alimentos que nos cozinham.

Ele vê no ato de cozinhar – de fazer pão a escolher e picar hortaliças – uma demonstração de amor por si mesmo e pelos outros. Que atividade humana tem maior transcendência que a preparação do combustível para nosso veículo vital?

Mal comparando, se pusermos o combustível errado em um automóvel, ele acabará apresentando algum defeito. Assim, o momento de comer não deveria ser um ato rotineiro, sem importância. Quando preparamos nossos alimentos, estamos fazendo uma escolha transcendente para a saúde e o espírito.

28

O futuro influi no presente da mesma maneira que o passado

O PRESENTE É um estado tão difícil de ser alcançado que a afirmação de Nietzsche não deveria nos chocar se analisássemos bem o que ele está dizendo. Ninguém duvida de que o passado tem influência no que somos, pois, juntamente com nossa herança genética, constituímos o produto de nosso caminhar pelo mundo.

No entanto, o futuro também nos molda, pois, tendo o passado nas costas, construímos o dia a dia de acordo com os objetivos que estabelecemos para nós mesmos. O ideal seria fazer com que o futuro não esteja muito distante de nossos atos – pois isso nos levaria ao terreno da eterna fantasia – e cuidar para que o passado não seja uma carga demasiado pesada.

Viver no passado às vezes pode se transformar em uma doença, que apresenta dois sintomas mais evidentes:

- **Melancolia recorrente.** A evocação de bons momentos do passado pode ser uma fonte de prazer, mas, quando se torna um hábito, acabamos nos privando do presente, que deveria ser a fonte de nossas lembranças futuras.
- **Rancor.** Manter abertas as feridas do passado impede que elas cicatrizem e não nos permite desfrutar o que acontece aqui e agora. Além disso, o tempo tende a deformar o acontecido e, às vezes, um episódio insignificante pode ganhar falsa importância.

29

Não deveríamos tentar deter a pedra que já começou a rolar morro abaixo; o melhor é dar-lhe impulso

EIS UM PENSAMENTO taoísta: em vez de se opor a uma força contrária – o que acabaria dobrando a potência do impacto –, as leis do Universo aconselham a se unir a ela e usá-la para os próprios interesses.

Muitas artes marciais utilizam o mesmo princípio: direcionar a força existente é muito mais efetivo que se opor a ela. Por isso, o lutador de judô acolhe o golpe do oponente e canaliza a energia dele em benefício próprio.

Aplicando essa sabedoria ao nosso cotidiano, já que uma das finalidades deste livro é neutralizar o estresse, uma medida muito útil é evitar – a menos que seja impossível – tudo o que implique problemas com o que nos cerca, como por exemplo:

- Discutir quando os nervos estão à flor da pele.
- Tentar modificar a opinião de uma pessoa que esteja absolutamente resoluta.
- Enviar um e-mail cinco minutos após ter se desentendido com alguém (é preciso deixar que se passem pelo menos 24 horas).
- Querer ganhar a amizade de quem já demonstrou que não gosta de você.

30

A maneira mais eficaz de corromper o jovem é ensiná-lo a admirar aqueles que pensam como ele e não os que pensam de forma diferente

A EXISTÊNCIA DE um grande número de seitas, times de futebol e partidos políticos revela que o ser humano se sente confortável dentro de uma comunidade em que a linha de pensamento é estabelecida de antemão.

Pensar é um trabalho árduo. Não é à toa que não é ensinado nos colégios e a filosofia tem peso quase insignificante no currículo escolar.

A consequência lógica de não pensar é seguir sempre os outros, abrindo mão da capacidade de tomar decisões e traçar o próprio destino.

Além disso, reduzir nossa mentalidade a uma única perspectiva faz com que entremos constantemente em conflito com os que seguem outros caminhos, o que acaba sendo mais uma fonte de estresse.

Um exercício para manter a mente aberta seria comprar, de vez em quando, um jornal com tendência política diferente da nossa, assistir à programação de uma emissora de TV que nunca sintonizamos ou, ainda, ler um autor de cujas ideias discordamos.

No final, nos daremos conta de que existem outros mundos dentro do nosso.

31

Toda queixa contém em si uma agressão

CONVIVER COM PESSOAS viciadas em reclamar é um tormento, pois o desgaste mental e a negatividade desse tipo de personalidade acabam contagiando tudo ao redor. É por isso que Nietzsche se refere à queixa em si como uma agressão, tanto para quem reclama quanto para os pobres interlocutores.

O mais curioso é que as pessoas que sofrem desse mal geralmente não têm consciência disso. Mas talvez exista uma forma de fazer com que elas enxerguem as inconveniências de seu modo de agir. Faça com que saibam que:

- Ninguém presta atenção de verdade aos lamentos dos outros.
- Os que insistem em ficar se lamentando sem parar acabam sendo inoportunos, chegando ao ponto de serem evitados pelos demais.
- Expressar uma situação negativa não ajuda a resolvê-la. Na verdade, paralisa a ação, pois a queixa incessante se torna cansativa também para quem a produz.

Além disso, por trás da negatividade existe um sinal de impotência que não passa despercebido. Como afirmava Confúcio: "Os que se queixam da forma como a bola quica são os que não sabem arremessá-la."

32

No amor sempre existe algo de loucura e na loucura sempre existe algo de razão

Já que nos referimos ao amor louco, deixaremos este capítulo aos cuidados de um homem que amou a vida, o humor e o amor com total irreverência e genialidade. Com vocês, Julius Henry Marx, ou Groucho, para os íntimos.

O problema do amor é que muitos o confundem com a gastrite e, quando se curam da indisposição, percebem que estão casados.

O amor é uma insanidade temporária que só o casamento cura.

As noivas modernas preferem ficar com o buquê e jogar fora o marido.

O homem não controla o próprio destino. É a mulher de sua vida que faz isso por ele.

33

Quem deseja aprender a voar deve primeiro aprender a caminhar, a correr, a escalar e a dançar. Não se aprende a voar voando

FAZER QUALQUER COISA antes de estar preparado gera estresse e frustração. Como diz Nietzsche neste aforismo, quem espera levantar voo sem antes passar pelo aprendizado básico está condenado a uma queda da qual não se reerguerá.

Isso nos leva de novo aos ritos de passagem ou iniciação. O ser humano que conhece suas possibilidades sabe enfrentar as provas que a vida lhe impõe, que são como degraus para que ele alcance os níveis seguintes.

Por isso é importante, diante de um grande objetivo, saber graduar os passos, que devem ser conquistados pouco a pouco.

34

Quem luta contra monstros deve ter cuidado para não se transformar em um deles

Os cínicos costumam se esconder por trás da maldade do mundo para dar asas à própria perversão. No entanto, os atos alheios nunca justificam os nossos.

Nesta reflexão, Nietzsche faz referência às dificuldades da vida como uma escola que pode nos endurecer ou até nos transformar em pessoas cruéis, ainda que, no final, essa seja uma opção pessoal.

Contra os determinismos negativos, Viktor Frankl comentou no livro *Em busca de sentido* que até nas circunstâncias mais adversas o ser humano tem o direito de decidir qual será sua postura diante do mundo. Sobre sua passagem pelo inferno de Auschwitz, Viktor relatou que alguns prisioneiros se embruteciam e colaboravam em atos de tortura, agindo contra os próprios companheiros, ao passo que outros consolavam os doentes acamados e dividiam com eles seu último pedaço de pão.

Referindo-se ao conceito budista de dor e de sofrimento, ele afirmou: "Mesmo que não esteja em suas mãos mudar uma situação dolorosa, é sempre possível escolher a forma de lidar com o sofrimento."

35

São muitas as verdades e, por esse motivo, não existe verdade alguma

A TENSÃO QUE NASCE do apego a uma opinião imutável a respeito de tudo – o que faz o resto do mundo parecer hostil – pode ser remediada com a prática da empatia. Basta se colocar no lugar do outro para ver as coisas do ponto de vista dele.

No livro *Os seis chapéus do pensamento*, Edward de Bono desenvolveu um jogo para transformar a mente por meio de seis "chapéus mágicos", que podemos ir provando ao abordar determinado problema ou situação. São eles:

- **Chapéu branco.** Ele nos faz enxergar os acontecimentos de forma objetiva. Essa maneira de pensar avalia os dados de forma fria e analítica.
- **Chapéu cinza.** É o da lógica negativa. Ele nos leva a enxergar o que está ruim e a prever o que pode dar errado.
- **Chapéu verde.** Trata-se da forma mais criativa de pensar, que considera apenas ideias novas, trabalhando com todas as possibilidades e inspirações.
- **Chapéu vermelho.** Faz prevalecer os sentimentos, bem como as intuições que nascem de nossa sabedoria interior.
- **Chapéu amarelo.** É o da lógica positiva, do pensamento otimista voltado para o que é viável e seus possíveis benefícios.
- **Chapéu azul.** É analítico e nos ajuda a entender como chegamos a determinadas ideias.

36

A mentira mais comum é a que um homem usa para enganar a si mesmo

NIETZSCHE DIZIA QUE "enganar os outros é um defeito relativamente insignificante"; o que nos transforma em monstros é o autoengano.

Uma forma de mentirmos para nós mesmos – e grande fonte de estresse – é imaginar que estamos sempre certos e que o resto do mundo está errado.

Existe uma piada que ilustra muito bem esse posicionamento: um motorista segue em uma estrada de mão única e escuta pelo rádio que um carro está circulando na mesma via, mas na contramão, colocando todo o tráfego em perigo. Após ouvir a advertência, o motorista diz: "Um carro, não. Todos!"

Para o ser humano, é muito mais fácil concluir que os outros estão errados do que aceitar o próprio erro. É aí que nasce a depressão, pois, quando vemos todos os outros veículos trafegando no sentido contrário, o mundo se transforma em um lugar hostil, que parece ter sido criado para frustrar nossa felicidade.

Às vezes, basta assumir humildemente que você estava errado. Como diz um aforismo indiano: "É mais fácil calçar um chinelo do que estender tapetes por toda parte."

37

Deveríamos considerar perdido o dia em que não dançamos nenhuma vez

Este pensamento pode parecer estranho, especialmente vindo de alguém tão atormentado como Nietzsche. No entanto, muitos daqueles que se aproximam do abismo da existência se elevaram antes a alturas esplêndidas.

A dança talvez seja a expressão mais genuína da alegria humana. Na verdade, nas tribos antigas, se dançava para evocar espíritos, atrair a chuva e também preparar o terreno para uma caçada.

Os estudos atuais de terapia pela dança demonstram que essa atividade, em qualquer de suas formas, tem várias aplicações curativas:

- Ao dançar, aumentamos a consciência do próprio corpo e entendemos melhor como ele se relaciona com as outras pessoas.
- A dança ativa a espontaneidade e a confiança em si mesmo. É especialmente indicada para pessoas tímidas, pois serve como uma forma alternativa de comunicação.
- Dançar alivia as tensões, tanto físicas quanto psicológicas.
- A dança nos permite conhecer nossos sentimentos ao expressá-los como movimentos no espaço.

38

Há mais sabedoria no seu corpo do que na sua filosofia mais profunda

DICIONÁRIO DE linguagem não verbal – O que significam nossos gestos?

- **Acariciar o queixo:** reflexão antes de uma decisão.
- **Cruzar os braços:** atitude defensiva.
- **Inclinar a cabeça para a frente:** interesse pelo que se ouve.
- **Entrelaçar os dedos:** autoridade, espera por reações.
- **Esfregar o olho:** dúvida, incredulidade.
- **Mexer no cabelo:** insegurança, desejo de seduzir.
- **Comprimir os lábios:** desconfiança, desagrado.
- **Levar a mão à bochecha:** avaliação, reflexão.
- **Levar as mãos aos quadris:** disposição para fazer ou dizer algo importante.
- **Esfregar as mãos:** antecipar algo que está por acontecer.
- **Tamborilar:** impaciência, pressa.
- **Olhar para o chão:** não acreditar totalmente no que está sendo dito.
- **Abrir as mãos com as palmas voltadas para cima:** sinceridade, inocência.
- **Cruzar as pernas, deixando um dos pés em movimento:** chateação ou impaciência.
- **Sentar-se na beira da cadeira:** vontade de ir embora.
- **Sentar-se com as pernas abertas:** atitude relaxada.
- **Unir os calcanhares:** medo, apreensão.

39

Se ficar olhando muito tempo para o abismo, o abismo olhará para você

O Universo é um espelho que nos devolve nossos pensamentos. Os budistas explicam: quando olhamos o mundo, deixamos nele a nossa marca. Por isso, as pessoas negativas estão sempre sofrendo contratempos e as positivas parecem ter muita sorte.

Esse princípio é a base de *O segredo*, de Rhonda Byrne, que fala da lei da atração. Veja como isso é explicado por Lisa Nichols, em um dos testemunhos registrados no livro:

> A lei da atração está em todos os lugares. Ela atrai tudo para você: as pessoas, o trabalho, as circunstâncias, a saúde, a riqueza, as dívidas, a felicidade, o carro que dirige, o lugar onde mora. Atrai tudo como se você fosse um ímã. Você atrai o que pensa. Sua vida é uma manifestação dos pensamentos que passam pela sua mente.

Sendo assim, como controlar a lei da atração para conseguir o que desejamos? Segundo os depoimentos do livro citado, é preciso realizar quatro coisas:

1. Saber o que se quer e pedir ao Universo.
2. Concentrar-se nos desejos com entusiasmo e gratidão.
3. Sentir e se comportar como se o desejo já tivesse sido realizado.
4. Estar aberto a recebê-lo.

40

As posições extremas não são seguidas de posições moderadas, e sim de posições extremas contrárias

UM DOS ENSINAMENTOS do *Tao Te Ching* diz o seguinte:

> A afeição extrema significa um grande desgaste e as posses abundantes, grandes perdas. Se você perceber quando tiver o suficiente, não entrará em desgraça. Se souber quando parar, não estará em perigo. Dessa forma, é possível viver muito tempo.

O chamado "caminho do meio" é um dos pilares do budismo. Para Siddhartha Gautama, a felicidade e a ausência de problemas estão em saber encontrar o ponto equidistante entre o fácil e o difícil, o superficial e o profundo, o prazer e a dor. Quem busca extremos corre o risco de passar da virtude à maldade, como adverte Nietzsche, já que as paixões costumam levar a ações desmedidas.

Encontrar o equilíbrio no momento de agir não significa ter medo nem falta de iniciativa, mas alcançar um horizonte suficientemente amplo para entender que a verdade – e, o que é ainda mais importante, a conveniência – nunca será encontrada nas posturas radicais.

Como disse Aristóteles: "A virtude consiste em saber encontrar o meio-termo entre dois extremos."

41

Preciso de companheiros, mas de companheiros vivos, não de cadáveres que eu tenha que levar nas costas por toda parte

Sobre a amizade, Nietzsche recomenda: "Seja para seu amigo um leito de repouso, mas um leito duro, como uma cama de campanha." Sem dúvida, nossos companheiros mais valiosos são aqueles capazes de festejar nossas vitórias, como dizia Oscar Wilde, mas também aqueles capazes de nos fazer enxergar que estamos equivocados.

As pessoas que nos advertem sem levar em conta o que esperamos escutar, apenas pelo nosso bem – nem sempre as duas coisas estão juntas: há quem censure por rancor –, são as que nos permitem melhorar. Esta seria a definição de um bom amigo: alguém diante do qual podemos nos comportar de forma autêntica e que nos ajuda a vencer os obstáculos da vida.

E muitos desses obstáculos somos nós mesmos que colocamos no nosso caminho.

Por isso, os grandes líderes da história não se deixaram levar por bajuladores, mas escolheram, para ficar ao seu lado, pessoas capazes de transmitir a própria opinião sobre as coisas. Com companheiros assim, multiplicamos nossa compreensão do mundo e, consequentemente, nosso poder.

42

Eis a tarefa mais difícil: fechar a mão aberta do amor e ser modesto como doador

O FILÓSOFO JIDDU KRISHNAMURTI discorre da seguinte maneira sobre o que significa amar:

> Liberdade e amor andam juntos. Amor não é reação. Se eu o amo porque você me ama, trata-se de mero comércio, algo que pode ser comprado no mercado. Amar é não pedir nada em troca, é nem mesmo sentir que se está oferecendo algo. Somente um amor assim pode conhecer a liberdade. (...) Quando vemos uma pedra pontiaguda em um caminho frequentado por pedestres descalços, nós a retiramos não porque nos pedem, mas porque nos preocupamos com os outros, não importa quem sejam. Plantar uma árvore e cuidar dela, olhar o rio e desfrutar a plenitude da terra... para tudo isso é preciso liberdade – e, para ser livre, é preciso amar.

Essa liberdade é o que permite a duas pessoas amarem-se sem imposição. Também está por trás do amor universal: uma atitude generosa do indivíduo com o mundo; dar pelo simples prazer de fazê-lo, sem esperar nada em troca, nem sequer reconhecimento.

43

A arrogância por parte de quem tem mérito nos parece mais ofensiva que a arrogância de quem não o tem: o próprio mérito é ofensivo

COM ESTE AFORISMO, Nietzsche faz referência ao perigo da comparação, com a qual sempre perdemos. A comparação e a inveja que a acompanha refletem uma admiração mal administrada, que, em vez de ajudar na superação pessoal, acaba agindo como um obstáculo à nossa capacidade.

Esse sentimento, definido como "desgosto pela alegria alheia", faz com que o invejoso tenha dificuldade de se relacionar de forma positiva com o que o cerca, já que as pessoas que ele inveja costumam ser muito próximas.

Para combater a inveja, os psicólogos recomendam que deixemos de encarar a prosperidade alheia como algo que nos deprecia. O sucesso de um companheiro de trabalho não significa nosso fracasso. Ao contrário, nos mostra o caminho que devemos percorrer. Quando substituímos a inveja pelo desafio, os méritos e as qualidades dos outros se transformam em um convite para nossa superação.

A melhor comparação é a que fazemos com nós mesmos. De onde estamos, podemos aspirar à conquista do lugar que gostaríamos de ocupar.

44

Todos os grandes pensamentos são concebidos ao se caminhar

INSTRUÇÕES PARA um passeio filosófico:

1. Abra espaço na sua agenda para um encontro consigo mesmo, marcando dia e hora, a fim de que nenhuma obrigação ou compromisso possa interferir na data.
2. Escolha um lugar que seja inspirador para você, seja por trazer lembranças especiais ou por produzir uma sensação de bem-estar.
3. Escolha o dia e o horário menos frequentados, para evitar distrações em seu passeio.
4. Anote em um caderno as questões que o preocupam, para pensar sobre elas em seu encontro pessoal. Tome nota também das conclusões mais importantes a que chegar.
5. Não determine um horário para o fim do passeio: nunca se sabe aonde a filosofia pode nos levar. Simplesmente retorne quando sentir que o encontro chegou ao fim.
6. Os melhores lugares para um passeio filosófico são aqueles próximos à natureza, museus, cemitérios e mesmo uma parte da cidade que você ainda não conheça.
7. Use roupas confortáveis. A filosofia não exige formalidade, mas faz mover as pernas.

45

Quem não sabe guardar suas opiniões no gelo não deveria entrar em debates acalorados

Ou, como reza o ditado japonês: "O que quer que precise dizer, diga amanhã." As discussões e os mal-entendidos que nascem das ações impulsivas são grandes fontes de estresse.

Aquele que quer ter sempre razão acaba se tornando impopular e acumula uma longa lista de ofensas e rancores. Para evitar isso, o escritor Richard Carlson recomenda:

- É muito melhor lidar de forma inteligente com o mundo do que lutar contra ele.
- Para se comunicar bem, evite interromper seu interlocutor ou completar as frases dele.
- Sempre que decidir ser amável em vez de ser o dono da verdade, estará tomando a decisão certa.

No final das contas, se deixarmos de impor nossas opiniões, com o tempo as outras pessoas acabarão percebendo os erros delas sem que tenhamos que nos desgastar com polêmicas vazias.

Como diz Nietzsche, é preciso deixar que as opiniões esfriem no gelo, a fim de tornarmos nossa vida mais fácil.

46

Dois grandes espetáculos são muitas vezes suficientes para curar uma pessoa apaixonada

Como se apaixonar envolve projetar mentalmente a imagem da pessoa amada, em alguns casos a afirmação de Nietzsche pode fazer sentido. Ao substituir uma projeção por outra – por exemplo, a de um filme –, podemos aliviar uma paixonite por algumas horas.

No entanto, é conveniente analisar de onde surge a necessidade do amor romântico, que prefere a idealização e a fantasia ao conhecimento e ao amadurecimento do amor.

Segundo Platão – que Nietzsche achava chato –, amar é caminhar em busca da parte que nos falta, da velha "metade da laranja". Essa visão é questionada atualmente por muitos terapeutas de casais, que dizem que todo ser humano é uma "laranja inteira" e não deve esperar por ninguém para se sentir completo e realizado.

Mesmo que estar apaixonado seja um prazer, graças à energia que envolve os que entram nesse estado, quem busca o caminho do meio deve colocar o amor a longo prazo e a ternura à frente das flechadas do cupido.

47

Quem declara que o outro é idiota fica chateado quando, no final, descobre que isso não é verdade

OS PRECONCEITOS MARCAM boa parte das relações humanas e provocam uma grande carga de rancor que acaba se mostrando difícil de administrar.

O rancor é um mecanismo de três fases que pode ser desligado se entendermos como ele se desenvolve:

1. A primeira fase é o **julgamento**. Como cada pessoa é diferente das demais, ao julgar os atos de alguém sempre encontramos algo com que não estamos de acordo.
2. Aquilo de que não gostamos ou que não entendemos na outra pessoa nos conduz à segunda fase: a **acusação**. Tendemos a pensar em valores absolutos e nos custa reconhecer que o mundo pode ser encarado de vários pontos de vista diferentes.
3. A acusação nos leva à terceira fase: a **vingança**. Pode ser sutil – por exemplo, por meio de um simples afastamento – a ponto de aquele que a pratica não perceber o que faz.

Durante esse processo manifestamos arrogância e superioridade, paralelamente à falta de compreensão e aceitação. Se deixarmos de emitir juízos, iremos nos livrar desse mecanismo alienante.

48

Amigos deveriam ser mestres em adivinhar e calar: não se deve querer saber tudo

COMO A VERDADEIRA amizade se fundamenta na admiração e no respeito mútuos, as palavras de Nietzsche destacam a discrição como uma característica necessária entre amigos.

Grandes vínculos se quebraram pela insistência de uma das partes em fiscalizar a outra. No momento em que deixamos de ser companheiros para assumir um papel paternalista, algo se rompe na amizade. A naturalidade dá lugar à dominação e se estabelece um jogo de poder que não beneficia em nada a relação.

No âmbito das confidências, é importante que cada indivíduo tenha a liberdade de decidir quanta intimidade quer compartilhar com os demais. Ultrapassar esse limite nos transforma em invasores e pode acabar causando desentendimentos.

Um pensamento do escritor e filósofo Albert Camus, que curiosamente também é atribuído a Maimônides, reflete muito bem sobre o segredo da amizade:

> Não caminhe na minha frente, porque talvez eu não possa segui-lo. Não caminhe atrás de mim, porque talvez eu não possa guiá-lo. Caminhe ao meu lado e seremos amigos.

49

Usar as mesmas palavras não é garantia de entendimento. É preciso ter experiências em comum com alguém

Há um trecho no romance *Amor em minúscula*, de Francesc Miralles, que fala da impossibilidade de compartilhar verdadeiramente uma experiência:

> Imagine que vou fazer uma longa viagem, sem saber quando volto, e você vai até a estação de trem para se despedir de mim. Se depois nos comunicarmos por carta ou telefone e nos lembrarmos da despedida, não estaremos falando da mesma coisa, mesmo que imaginemos que sim. A minha lembrança e a sua serão diferentes, isso quando não forem exatamente opostas. Você se lembra de um homem que se afasta em um trem e que acena da janela. Mas eu me lembro de um homem imóvel em uma plataforma e de que ele ficava cada vez menor. É a única coisa que podemos compartilhar: a sensação do outro ficando menor. Trata-se de algo que encontra eco em nossas emoções. Quando nos distanciamos fisicamente de alguém, sua presença no inconsciente se reduz progressivamente. Talvez, nesse sentido, o que acontece no nível óptico seja mera preparação para o que acontecerá na mente. Mas voltemos ao início: a experiência nunca pode ser compartilhada. Ela é servida sempre em frascos individuais.

50

Estava só e não fazia outra coisa além de encontrar-se consigo mesmo. Então, aproveitou sua solidão e pensou em coisas muito boas por várias horas

NOS NÚCLEOS URBANOS, encontramos cada vez mais solteiros e gente que se sente só. Para evitar que a solidão seja notada, essas pessoas deixam a televisão ligada o dia todo, ficam horas e horas navegando na internet ou se entregam a qualquer outra atividade que dissimule o silêncio.

No entanto, também existe uma solidão criativa, que aproxima o indivíduo de uma grande fonte de energia positiva. Quando nos desligamos do mundo por algumas horas, nos conectamos ao nosso manancial de sabedoria interior. É uma peregrinação em direção a nós mesmos, que assusta os que nunca a praticaram.

Acostumados ao ruído do mundo, que confunde tudo, muitos têm medo de estar consigo mesmos. Para evitar esse encontro íntimo, buscam qualquer maneira de se "distrair". Mas queremos nos distrair do quê? Deveríamos temer alguma coisa?

Talvez se trate unicamente de não pensar, de evitar perguntas que precisamos fazer a nós mesmos. As transformações nos assustam. E a solidão é, justamente, a pista de decolagem das grandes mudanças, o palco onde nos equipamos para renascer em uma nova viagem vital.

51

A potência intelectual de um homem se mede pelo humor que ele é capaz de manifestar

NIETZSCHE FALOU VÁRIAS VEZES sobre a importância do humor, que considerava uma tábua de salvação para os desgostos que a vida nos oferece: "O homem sofre tão terrivelmente no mundo que se viu obrigado a inventar o riso."

Ele chegava até a duvidar de qualquer afirmação apresentada com excessiva seriedade: "Deveríamos tachar de falsa toda verdade que não tenha sido acompanhada de um sorriso."

Vejamos os benefícios terapêuticos do humor constatados pela medicina:

- Atua como analgésico.
- Melhora a circulação e regula a pressão arterial.
- É um exercício aeróbico: cinco minutos de risadas equivalem a 45 minutos de exercícios leves.
- Massageia os órgãos internos.
- Reforça as defesas e previne doenças.
- Alivia o estresse e a fadiga.
- Libera endorfina, o hormônio da felicidade.
- Promove o alívio muscular e o bem-estar.
- Ajuda a relativizar os problemas.

52

Gosto dos valentes, mas não basta ser um espadachim: também é preciso saber a quem ferir. E, muitas vezes, abster-se demonstra mais bravura, reservando-se para um inimigo mais digno

Assim como o sorriso traz benefícios óbvios para a saúde, o ressentimento não apenas incide negativamente no estado de ânimo, como também pode desencadear doenças e distúrbios. A tabela a seguir lista as consequências dos dois estados opostos:

Aborrecimento	Perdão
• Aumenta a pressão arterial	• Diminui a pressão arterial
• Gera acidez estomacal	• Facilita a digestão
• Dispara a adrenalina	• Suaviza a respiração
• Dificulta o descanso noturno	• Estimula um sono reparador
• Favorece o surgimento de úlceras	• Promove o relaxamento
• Aumenta o risco de câncer	• Reforça o sistema imunológico

Para terminar, vale a pena rever o que Aristóteles disse sobre o assunto:

> Qualquer pessoa pode ficar chateada e isso é muito fácil. Mas ficar aborrecido com a pessoa certa, no grau adequado, no momento oportuno, com o propósito justo e da forma correta, isso, certamente, não é tão fácil.

53

De que vale o ronronar de alguém que não sabe amar, como um gato?

É DISCUTÍVEL O PRESSUPOSTO de que os gatos não sabem amar. Eles simplesmente amam à sua maneira. A questão é que nos esforçamos para ser amados por pessoas que não nutrem amor por nós. Contra esse vício improdutivo, John W. Gardner fez a seguinte reflexão, em "Personal Renewal" (Renovação pessoal):

> O que se aprende na maturidade não são coisas simples, como adquirir habilidades e informações. Aprende-se a não voltar a ter condutas autodestrutivas, a não desperdiçar energia por conta da ansiedade. Descobre-se como dominar as tensões e que o ressentimento e a autocomiseração são duas das drogas mais tóxicas. Aprende-se que o mundo adora o talento, mas recompensa o caráter. Entende-se que quase todas as pessoas não estão a nosso favor nem contra nós, mas absortas em si mesmas. Aprende-se, finalmente, que, por maior que seja nosso empenho em agradar aos demais, sempre haverá pessoas que não nos amam. Trata-se de uma dura lição no início, mas que no fim se mostra muito tranquilizadora.

54

Para chegar a ser sábio, é preciso querer experimentar certas vivências. Mas isso é muito perigoso. Mais de um sábio foi devorado nessa tentativa

Em uma entrevista concedida recentemente a uma revista brasileira, Paulo Coelho afirmou que muitas iniciativas solidárias, como as de Bono Vox, não servem para nada e são apenas boas intenções para impressionar o povo.

Para surpresa do entrevistador, ele disse também que seria mais fácil o mundo ser salvo por Amy Winehouse do que pelo músico e ativista irlandês. Na sua opinião, como a cantora, ainda muito jovem, já conhecia as profundezas do inferno, poderia se tornar um maravilhoso exemplo para as novas gerações caso conseguisse se recuperar.

Por outro lado, afirmou que personagens como Paris Hilton ou Britney Spears, que fizeram o trajeto oposto – do triunfo à decadência –, são um mau exemplo para a juventude.

Voltando ao discurso de Nietzsche, quem entrou e saiu do inferno pode guiar outras pessoas com mais sabedoria do que quem levou uma vida sem sobressaltos. Pelo mesmo motivo, o filósofo alemão duvidava que um clérigo tivesse autoridade para dar conselhos matrimoniais.

55

O cérebro verdadeiramente original não é o que enxerga algo novo antes de todo mundo, mas o que olha para coisas velhas e conhecidas, já vistas e revistas por todos, como se fossem novas. Quem descobre algo é normalmente este ser sem originalidade e sem cérebro chamado sorte

EM UMA DE SUAS REFLEXÕES mais célebres, Marcel Proust afirmou que "a verdadeira viagem de descobrimento não consiste em buscar novas paisagens, mas sim em ter novos olhos".

Trata-se de uma capacidade compartilhada por filósofos e artistas: saber encontrar o novo no velho.

Aplicando-se esse conceito ao mundo dos negócios, o empreendedor é aquele que enxerga uma oportunidade onde os outros não veem nada. Essas pessoas têm uma visão mais renovada do mundo e isso lhes permite perceber o que a maioria – com o olhar domesticado pela monotonia – deixa passar.

A questão é saber olhar o mundo sem filtros, estimulado pela curiosidade.

O escritor e cineasta Paul Auster concluiu o seguinte:

> Dizem que é preciso viajar para ver o mundo. Às vezes acho que estando quietos em um único lugar, com os olhos bem abertos, somos capazes de ver tudo o que podemos usar.

56

Quem não dispõe de dois terços do dia é um escravo

WORKAHOLICS SÃO AS PESSOAS que deixam o trabalho absorver toda sua vida pessoal. Talvez pelo fato de esse comportamento ser um transtorno reconhecido há pouco tempo, praticamente não existem tratamentos terapêuticos para ele.

O viciado em trabalho sofre com altos níveis de estresse, pois acha que nunca dedica horas suficientes à sua atividade profissional, o que acaba provocando danos à saúde, bem como à vida pessoal e familiar.

E nem sempre esse tipo de conduta se traduz em um rendimento maior e melhor. Segundo Gayle Porter, especialista no assunto, o workaholic pode ser prejudicial a uma empresa, pois costuma dedicar muito tempo a tarefas irrelevantes. Estatísticas revelam que esse tipo de pessoa não produz mais que um trabalhador normal: simplesmente esquenta sua cadeira por mais horas.

Já que nossa civilização oferece tantas opções de atividades culturais para o tempo livre, vale a pena seguir o modelo clássico: 8 horas para trabalhar, 8 horas para dormir e 8 horas para o lazer.

57

O melhor meio de ajudar pessoas muito confusas e deixá-las mais tranquilas é elogiá-las de forma veemente

DO MÉTODO Dale Carnegie para fazer amigos (e influenciar pessoas):

- É inútil criticar alguém, já que ele inevitavelmente se colocará na defensiva e tentará se justificar. Além disso, ficará ressentido com você.
- Conseguimos resultados muito melhores nas relações sociais ao elogiar de forma inteligente em vez de censurar.
- É muito mais proveitoso e seguro corrigir a si mesmo do que tentar fazer com que os outros se corrijam.
- As pessoas mais populares são as que deixam seus interlocutores falarem e se interessam sinceramente por seus problemas.
- Em vez de censurar os outros, é mais útil entendê-los e procurar saber por que se comportam de certa maneira.
- Você fará mais amigos em dois meses interessando-se pelas pessoas do que em dois anos tentando fazer com que elas se interessem por você.
- Qualquer idiota é capaz de criticar, condenar e se queixar, e a maioria faz isso muito bem.

58

O homem amadurece quando reencontra a seriedade que demonstrava em suas brincadeiras de criança

EIS UM TEMA QUE realmente importava para Nietzsche, pois ele afirmava que "em qualquer homem autêntico existe uma criança querendo brincar".

Para o filósofo alemão, considerar fábulas e jogos coisas infantis é sinal de grande pobreza intelectual, pois só as pessoas capazes de manter a curiosidade e o espírito lúdico da infância terão sempre novos êxitos ao seu alcance.

A criança encara sua brincadeira como um trabalho e os contos de fadas como verdade. Os cientistas, artistas e intelectuais demonstram a mesma atitude. Por isso devemos sempre manter um pé no mundo da fantasia.

Hans Christian Andersen disse que "os contos de fadas são escritos para que as crianças durmam, mas também para que os adultos despertem".

Talvez tenha chegado o momento de deixarmos um pouco de lado o mundo dos adultos e começarmos a alimentar nossa alma criativa com as inspirações que a preenchiam quando éramos pequenos.

59

Ninguém é tão louco que não possa encontrar outro louco que o entenda

Em um artigo dedicado à sincronicidade – a teoria das casualidades exposta por Jung –, existe uma citação de Ernesto Sábato para explicar que as coincidências têm mais a ver com a afinidade do que com uma obscura lógica da sorte. Vamos tomar como exemplo dois amigos que conviveram por muito tempo mas se separaram ao irem morar em países diferentes. Por mais estranho que pareça, eles terão grande possibilidade de se reencontrar em qualquer lugar do mundo que visitem.

E isso acontece por uma razão muito simples: se eles têm gostos e hábitos parecidos, não é improvável escolherem viajar para a mesma cidade – Tóquio, por exemplo – na mesma época do ano. Uma vez ali, como os dois têm referências parecidas, irão aos mesmos lugares, no mesmo período do dia.

Quando, após anos sem se ver, se encontram de repente em uma livraria para estrangeiros no bairro de Ginza, os dois dizem: "Que coincidência!" Mas, na verdade, não poderia ter sido de outra forma.

Por outro lado, como diz Sábato, duas pessoas muito diferentes podem viver uma ao lado da outra e não se encontrarem nunca, nem mesmo na própria rua.

60

Na maior parte das vezes que não aceitamos uma opinião, isso acontece por causa do tom em que ela foi manifestada

AQUI VÃO QUATRO DICAS para a arte da conversa:

- **Escute de forma ativa.** É fácil distinguir os melhores interlocutores, pois eles sabem ouvir sem interromper para expressar sua opinião. Da mesma forma, uma atitude ausente de nossa parte faz com que o outro perca o entusiasmo.
- **Dê sua opinião somente quando a pedirem.** Invadir o território alheio para dizer a alguém o que fazer pode causar atritos. Julgamentos sobre assuntos pessoais só são apropriados quando expressamente solicitados.
- **Evite distrações.** Nada é mais desmotivador para quem está falando do que ver seu interlocutor atender o celular.
- **Formule perguntas.** Quando alguém relata uma experiência ou expõe um ponto de vista, seu discurso pode se tornar estéril se nos limitamos a escutar. Perguntar sobre o que estão tentando nos explicar é uma ótima forma de aprofundar o diálogo.

61

Acredito que os animais veem o homem como um ser igual a eles que perdeu, de forma extraordinariamente perigosa, a sanidade intelectual animal. Ou seja: veem o homem como um animal irracional, um animal que sorri, que chora, um animal infeliz

O GRANDE IMPEDIMENTO para a felicidade de muitas pessoas em países desenvolvidos é o enorme espectro de necessidades inúteis criado ao seu redor. Parece ser impossível viver satisfeito sem:

- Trocar de carro a cada cinco anos.
- Fazer da casa atual um "trampolim" para outra maior.
- Comprar uma casa de praia ou de campo para os dias de folga.
- Proporcionar às crianças atividades extracurriculares caras.
- Viajar para tão longe e com tanto conforto quanto os amigos e parentes.

À pressão exercida por todas essas demandas artificiais é preciso somar os problemas sentimentais – e muitas vezes também os econômicos – das pessoas que vão pulando de um relacionamento para outro.

É interessante refletir sobre o que necessitamos para nos sentirmos realizados na vida. Talvez a felicidade finalmente chegue se conseguirmos tirar fardos dos ombros, vivendo com naturalidade e simplicidade. Precisamos ser um pouco mais como os animais.

62

Antes de se casar, pergunte a si mesmo: serei capaz de manter uma boa conversa com essa pessoa até a velhice? Todo o resto é passageiro num matrimônio

A ARTE DE AMAR, de Erich Fromm, publicada em 1956, é uma das obras mais lidas sobre um tema que preocupa a imensa maioria dos seres humanos. Para analisar o que sugere o título, o psicólogo e humanista alemão reflete sobre o que significa o amor para a sociedade moderna:

> Para a maior parte das pessoas, o problema do amor está mais em ser amado do que em amar. Daí vem a grande questão de conseguirem ser amadas, ser dignas do amor. Para alcançar esse objetivo, seguem vários caminhos. Um deles, utilizado principalmente pelos homens, consiste em ser bem-sucedido, rico e poderoso a ponto de conquistar uma boa posição social. O outro, mais empregado pelas mulheres, consiste em ser atraente mediante o cuidado com o corpo, as roupas etc.

Fromm afirma que uma pessoa só pode amar outra se conhecer a si mesma e respeitar a própria individualidade. Só então estará preparada para entender e respeitar seu parceiro.

Como diz Nietzsche, ser capaz de conversar por toda a vida garante que o casal poderá se aproximar mais e mais e se conhecer cada vez melhor.

63

É muito difícil os homens entenderem sua ignorância no que diz respeito a eles mesmos

EM UM DE SEUS AFORISMOS mais brilhantes, Nietzsche nos diz: "Somente quando o homem tiver adquirido o conhecimento de todas as coisas poderá conhecer a si mesmo. Porque as coisas nada mais são que as fronteiras do homem."

Isso nos sugere que não há nada mais difícil e trabalhoso que o autoconhecimento, tarefa que levou místicos e ermitãos a se recolherem em lugares afastados, na mais absoluta solidão.

Na verdade, toda a filosofia parte da inscrição que os Sete Sábios deixaram no frontispício do oráculo de Delfos: "Conhece-te a ti mesmo."

Trata-se de uma ambição que, segundo Erasmo de Roterdã, nos leva a assumir com humildade o fato de que não sabemos nada. Da mesma forma que o copo vazio espera ser preenchido, somente a partir da humildade se pode começar a construir a verdadeira sabedoria.

A própria Bíblia nos adverte de que "se você não se conhece, seguirá o caminho do rebanho". Por isso, conhecer a si mesmo não é necessariamente um ato de egocentrismo, mas uma análise das possibilidades que temos de traçar uma rota sem nos perder nos desvios.

64

Pobre do pensador que não é o jardineiro, mas apenas o canteiro de suas plantas

NO LIVRO DEDICADO aos mestres zen, o filósofo e estudioso das religiões Timothy Freke comenta de que forma a meditação trabalha para purificar a mente:

> Por meio da meditação, os estudantes do zen calam seus pensamentos e tomam consciência da mente vazia que os contém. Assim como as partículas de um copo de água suja pousam no fundo – quando paramos de agitá-lo – e o líquido fica transparente, os pensamentos caem quando a mente não está agitada e a consciência se aclara.

Esse tipo de exercício tem como objetivo transformar o pensador em jardineiro das próprias plantas, seguindo as palavras de Nietzsche.

Para isso, é importante não julgar os pensamentos como bons ou maus. Ao identificá-los simplesmente como "pensamentos" e deixar que passem, eles se dissolvem para que nossa mente fique transparente – sem filtros – como um cristal.

Quando não há preconceitos, a luz da vida faz florescer o melhor de nós em nosso jardim interior.

65

Um poeta escreveu em sua porta: "Quem entrar aqui me honrará. Quem não entrar me proporcionará um prazer"

BASEAMOS NOSSA AUTOESTIMA na imagem que os outros têm de nós e é exatamente isso que Nietzsche critica com o exemplo do poeta. Quem não permite que sua felicidade dependa da aprovação alheia está sempre no melhor dos mundos.

A fábula a seguir ilustra bem a posição dependente das pessoas que se sentem incompreendidas em seu ambiente e pensam que em outro lugar seriam mais valorizadas.

Certo dia, uma coruja encontrou um pássaro que lhe perguntou:

— Aonde você vai?

— Estou me mudando para o leste – disse a coruja.

— Por quê? – perguntou o pássaro.

— As pessoas aqui não gostam muito dos sons que eu faço. Por isso vou para o leste.

— Se puder mudar sua voz, tudo ficará bem. Mas, se não puder, mesmo indo para o leste, vai acontecer a mesma coisa, pois as pessoas de lá também não vão gostar.

66

A verdade é que amamos a vida não porque estamos acostumados a ela, mas porque estamos acostumados com o amor

AMAR É A PRIMEIRA e principal das atividades humanas, ainda que às vezes as pessoas finjam que existem coisas mais importantes.

No livro *A última grande lição*, o jornalista Mitch Albom descreve os ensinamentos recebidos do mestre em seus dias derradeiros. Todos eles apontam na mesma direção: no fim, só o que conta é o amor que demos e recebemos.

> Não podemos substituir amor, delicadeza, ternura nem companheirismo por coisas materiais. Dinheiro não substitui ternura, poder não substitui ternura. Escreva o que estou dizendo, sentado aqui à beira da morte: quando mais se precisa dos sentimentos que nos faltam, nem dinheiro nem poder nos podem dá-los, não importa quanto dinheiro ou poder possuímos.

Na mesma linha, *A lição final*, de Randy Pausch, relata a última conferência de um professor da Universidade Carnegie Mellon após saber que sofria de câncer do pâncreas. Entre as questões que ele levanta estão: o que você faria se tivesse poucos meses de vida? Que sonhos ainda quer realizar? O que o impede de fazê-lo agora?

67

O homem é a causa criativa de tudo o que acontece

Após um amplo estudo sobre pessoas que, à primeira vista, pareciam favorecidas pela sorte, os economistas Álex Rovira e Fernando Trías de Bes escreveram o livro *A Boa Sorte*. Nele, explicam por que algumas pessoas são mais afortunadas que outras e chegam a conclusões valiosas, entre elas:

- A sorte não dura muito tempo, pois não depende de nós. Por outro lado, a Boa Sorte dura para sempre, porque nós mesmos a criamos.
- Os ingredientes básicos da Boa Sorte são a força de vontade e a persistência, além de uma dose de ousadia.
- As pessoas bem-sucedidas não pertencem a uma raça distinta: o que as diferencia é sua atitude. O importante é perguntar a si mesmo: o que elas fazem que eu não faço?
- A Boa Sorte não é algo externo nem ligado ao acaso, e sim algo que só pode ser promovido pela própria pessoa, a partir da criação de novas circunstâncias.

68

Seus maiores bens são seus sonhos

WILLIAM FAULKNER DIZIA que os sábios têm sonhos grandes o bastante para não perdê-los de vista enquanto os perseguem.

Todo grande feito foi concebido antes na imaginação. Na tela da mente visualizamos o que *poderia acontecer* antes de buscar os meios para tornar isso realidade. Os êxitos acontecem fora da imaginação, mas são primeiro alimentados por ela.

O destino de um ser humano depende do tamanho de seus sonhos. O problema é que muitas pessoas os estacionam na infância ou na adolescência e adotam posturas derrotistas do tipo "A vida é assim mesmo" ou "O que posso fazer? Preciso ganhar meu sustento".

Com essa atitude resignada é impossível fazer qualquer coisa relevante para o mundo. Como sugere Nietzsche em seu aforismo, nada é tão nosso quanto nossos sonhos. Por isso, quando abrimos mão deles, abandonamos também algo muito importante: a capacidade de transformar em realidade nossos desejos mais íntimos.

Faça uma lista com os grandes sonhos de sua vida. Quais se tornaram realidade? Quais fracassaram? Quais você abandonou no meio do caminho? E o mais importante: que sonho você vai tratar como seu objetivo a partir de agora?

69

Quem não sabe dar nada não sabe sentir nada

Quando sentimos que oferecemos algo ao próximo, de repente tomamos consciência de nosso valor. Ninguém é mais pobre que uma pessoa que não dá nada, pois é na doação que demonstramos nossa riqueza.

E não se trata apenas de bens materiais.

A maior avareza que existe é a do coração. Os que andam pelo mundo sem transmitir seus sentimentos acabam aprisionados em uma couraça, impedidos de sentir qualquer coisa, como no conto *O cavaleiro preso na armadura*, de Robert Fischer.

Sobre isso, o dramaturgo Alejandro Jodorowsky disse o seguinte: "O que você dá, dá. O que não dá, perde."

Vale a pena verificar em que nível está nosso intercâmbio com o mundo. Assim como acontece com a economia dos países, a prosperidade depende da circulação de riquezas. Quando elas param, perdem o valor e a economia entra em recessão. O mesmo acontece com a riqueza do coração.

Tão importante quanto dar é saber receber. Somente as pessoas capazes de fazer o amor fluir em ambas as direções podem se considerar prósperas emocionalmente.

70

As ilusões são certamente prazeres dispendiosos, mas a destruição delas é mais dispendiosa ainda

No livro *Era uma vez uma empresa*, o escritor e publicitário Gabriel García de Oro conta um caso engraçado envolvendo Stanley Kubrick e o poder dos sonhos. Nesse episódio é citado o símbolo clássico dos sonhos impossíveis: as asas de Ícaro.

> Todos os loucos por cinema sabem que quando Stanley Kubrick se propunha a fazer algo, ele fazia. Não parava até conseguir, por mais impossível que parecesse.
>
> Certo dia, enquanto dirigia o espetacular *Barry Lyndon*, sugeriu rodar uma cena somente com a luz de velas. O iluminador, contrariado com o desafio, disse que era totalmente impossível. E um colaborador fez Kubrick se lembrar de uma história mitológica que o fascinava: o voo de Ícaro.
>
> Stanley Kubrick olhou para todos e disse:
>
> – A fábula de Ícaro só demonstra que a cera não é um bom material para quem quer se aproximar do Sol. Deveriam ter trabalhado mais na fabricação das asas.

71

A essência de toda arte bela, de toda arte grandiosa, é a gratidão

A GRATIDÃO É UMA CONDIÇÃO indispensável para apreciarmos a beleza do mundo. Algumas pessoas que aparentemente têm tudo se sentem infelizes, ao passo que outras se maravilham com os pequenos grandes presentes que recebem todos os dias.

Entre essas últimas, encontra-se a ativista americana Hellen Keller, que mesmo cega, surda e muda foi capaz de desfrutar dos sentidos que lhe restavam em experiências quase místicas. São dela as seguintes palavras:

> Use os olhos como se fosse ficar cego amanhã. (...) Escute a música das vozes, o canto dos pássaros, as poderosas notas de uma orquestra, como se amanhã fosse ficar surdo. Toque cada objeto como se o sentido do tato lhe fosse faltar amanhã. Sinta o aroma das flores e o sabor de cada bocado de comida como se amanhã já não pudesse cheirar nem sentir o gosto de nada.

Se praticarmos a arte da gratidão, tingiremos nossa lente emocional de boas sensações nas horas de dificuldade. Mesmo em situações de tensão e contrariedade, basta nos deixarmos alimentar pela beleza do mundo para conseguirmos encontrar o equilíbrio que nos permitirá superar as provações mais duras.

72

Não é raro encontrar cópias de grandes homens. E, como acontece com os quadros, a maior parte das pessoas parece mais interessada nas cópias do que nos originais

SER AUTÊNTICO NA VIDA às vezes envolve dizer o que ninguém espera escutar.

Existe uma história que ilustra bem essa questão. Pediu-se a alguns estudantes que elegessem as Sete Maravilhas do mundo atual. Enquanto os votos eram apurados, a professora percebeu que uma jovem calada ainda não havia mostrado o que escrevera e por isso perguntou se ela estava com problemas para completar a lista.

– Estou – respondeu. – Não consigo me decidir. São tantas!

– Bem, então leia o que já escreveu e talvez possamos ajudá-la – disse a professora.

A menina hesitou antes de responder:

– Acho que as Sete Maravilhas do mundo são: ver, ouvir, tocar, provar, sentir, rir e amar.

A sala de aula ficou em silêncio. A verdade é que nunca pensamos nessas coisas tão simples e corriqueiras como as maravilhas que verdadeiramente são.

73

Quem não teve um bom pai deve procurar um

NAS CULTURAS MAIS LIGADAS à terra, a criança abandona sua família na adolescência para se tornar adulta e enfrentar sozinha as provações que a vida colocará em seu caminho. Isso acontece independentemente de ter tido bons ou maus pais, o que lhe dá segurança, pois ela se acha nas mesmas condições que os outros jovens. O Credo do Samurai resume o ideário do lutador que salva o próprio destino:

> Não tenho pais;
> faço do céu e da terra meus pais.
> Não tenho poder divino;
> faço da honra a minha força.
> Não tenho recursos;
> faço da humildade o meu apoio.
> Não tenho o dom da magia;
> faço da minha força de vontade o meu poder mágico.
> Não tenho vida nem morte;
> faço do Eterno minha vida e minha morte.
> Não tenho corpo;
> faço da coragem meu corpo.
> Não tenho olhos;
> faço do brilho do raio os meus olhos.
> Não tenho orelhas;
> faço do bom senso minhas orelhas.
> Não tenho membros;
> faço da vivacidade os meus membros.

74

Os poços mais profundos vivem suas experiências lentamente: esperam um bom tempo até saberem o que caiu em suas profundezas

HÁ ALGUNS ANOS, o jornalista Carl Honoré decidiu escrever o livro *Devagar – Como um movimento mundial está desafiando o culto da velocidade* enquanto enfrentava, impaciente, uma longa fila de embarque num aeroporto. Curiosamente, o autor confessou que, quando realizava suas pesquisas para a obra, ganhou uma multa por excesso de velocidade.

Eis uma das conclusões a que chegou em seu ensaio: "Cada ato de desaceleração é um grão para o moinho" de uma vida saudável e relaxada.

Entre suas recomendações está a de esquecer o carro e andar a pé. Nesse sentido, ele se inspirou no ecologista americano Edgard Abbey: "Caminhar faz com que o mundo seja muito maior e, por isso, mais interessante. Assim temos tempo para observar os detalhes."

Seu ensaio segue a filosofia do *slow living*, estilo de vida que já foi adotado em várias pequenas cidades de países desenvolvidos. No mundo da alimentação, os restaurantes de *slow food* se apresentam como alternativa aos estabelecimentos de fast-food.

75

Quando temos muitas coisas para guardar nele, o dia tem 100 bolsos

DIZEM QUE CHRISTOPHER WREN, arquiteto encarregado da construção da Catedral de Londres, decidiu passear incógnito pelo canteiro de obras para ver como os pedreiros trabalhavam.

Wren ficou pensativo enquanto observava três operários. Um trabalhava muito mal; outro, de forma correta; o terceiro, por sua vez, realizava seu trabalho com muito mais força e dedicação que os demais. Sem se conter, o arquiteto aproximou-se do primeiro e perguntou:

— Boa tarde. O que o senhor faz?

— Eu? – disse o pedreiro. – Trabalho de sol a sol, num serviço muito cansativo. Não vejo a hora de terminar.

Depois foi até o segundo operário e fez a mesma pergunta:

— Boa tarde. O que o senhor faz?

— Estou aqui para ganhar dinheiro a fim de sustentar minha mulher e meus quatro filhos.

Finalmente, Wren se dirigiu ao terceiro trabalhador:

— Boa tarde. O que o senhor faz?

O pedreiro levantou a cabeça e, com um olhar cheio de orgulho, respondeu:

— Estou construindo a Catedral de Londres, cavalheiro.

76

Uma alma delicada se sente mal quando sabe que receberá agradecimentos. Uma alma grosseira se sente mal quando sabe que precisa agradecer a alguém

QUANDO PRATICAMOS A GRATIDÃO, reconhecemos os benefícios recebidos e procuramos devolver à vida algo que ela nos deu.

Uma forma de fazer isso é usando as palavras. No poema "Prazeres", Bertolt Brecht fez sua lista de agradecimentos baseada em deleites cotidianos:

> O primeiro olhar pela janela ao despertar / O velho livro que volto a encontrar / Rostos entusiasmados / Neve, a mudança das estações / O jornal / O cachorro / A dialética / Tomar banho, nadar / Música antiga/ Sapatos confortáveis / Entender / Música nova / Escrever, plantar / Viajar, cantar / Ser amável.

Como exercício para perceber e agradecer a magia da vida, crie sua lista de maravilhas e pendure-a em um lugar visível da casa, para que não se esqueça das dádivas recebidas.

E procure renová-la a cada mês com os outros prazeres que tiver incorporado à vida cotidiana.

77

Não se pode odiar enquanto se menospreza. Não se pode odiar mais intensamente um indivíduo desprezado do que um igual ou superior

DIZ UMA ANTIGA LENDA CHINESA que um discípulo perguntou ao mestre:
– Qual é a diferença entre céu e inferno?
E o mestre respondeu:
– É muito pequena e, no entanto, tem grandes consequências. Venha, vou lhe mostrar o inferno.
Entraram em uma casa onde havia algumas pessoas sentadas ao redor de uma grande panela de arroz. Todas estavam famintas e desesperadas. Cada uma delas tinha uma colher presa pela ponta do cabo à mão, que chegava até a panela. Mas os cabos eram tão compridos que elas não podiam levar as colheres à boca. O desespero e o sofrimento eram terríveis.
– Venha – disse o mestre, passado um instante. – Agora vou lhe mostrar o céu.
Entraram em outra casa, idêntica à primeira. Ali também havia uma panela de arroz, algumas pessoas e as mesmas colheres compridas, mas todos estavam felizes e alimentados.
– Não entendo – disse o discípulo. – Por que estão muito mais felizes que as pessoas da outra casa, se têm exatamente o mesmo?
– Não percebeu? – sorriu o mestre. – Como o cabo da colher é muito comprido, é impossível levar a comida à própria boca com ela. Mas aqui eles aprenderam a alimentar uns aos outros.

78

Quantos homens sabem observar? E, desses poucos que sabem, quantos observam a si próprios? "Cada pessoa é o ser mais distante de si mesmo"

A VIAGEM ATÉ NÓS MESMOS é sempre a mais longa e tortuosa, pois implica dar muitas voltas para encontrar algo que estava tão perto que éramos incapazes de ver.

Não é por acaso que, das três perguntas existenciais clássicas – Quem somos? De onde viemos? Para onde vamos? –, a da identidade venha em primeiro lugar, pois aquele que não sabe quem é dificilmente terá consciência do que deixou para trás ou do destino que tem diante de si.

Tentamos responder à pergunta "Quem somos?" falando sobre nossa profissão e o cargo que ocupamos, mostrando o carro que dirigimos ou mesmo dizendo qual religião professamos, mas esses elementos estão à margem da verdadeira essência de uma pessoa.

Assim como nossos sonhos nos definem, nossa identidade é a sensibilidade que nos distingue dos demais companheiros humanos, é nossa contribuição única para o mundo, nossa missão pessoal.

Encontrar essa missão pode ser o trabalho de toda uma vida, mas apenas o fato de buscá-la já nos permite saber aonde vamos.

79

A guerra emburrece o vencedor e deixa o vencido rancoroso

Para quem acha que Nietzsche era belicista, esse aforismo demonstra uma visão muito diferente do filósofo alemão, ainda que na Primeira Guerra Mundial muitos soldados alemães levassem em sua mochila um exemplar de *Assim falava Zaratustra*.

Segundo o grande teórico da arte bélica, Sun Tzu, "a vitória completa é alcançada quando o exército não luta, a cidade não é sitiada, a destruição não se prolonga por muito tempo e em cada caso o inimigo é vencido graças à estratégia".

Em sua obra essencial, *A arte da guerra*, encontramos os seguintes conceitos:

- Tudo se baseia no engano: quando você for capaz de atacar, deve aparentar incapacidade. Quando as tropas se moverem, simule inatividade. Se estiver próximo ao inimigo, deve fazê-lo acreditar que está longe. Se estiver longe, convença-o de que está perto.
- É preciso golpear o inimigo quando ele estiver desorganizado e se preparar quando ele estiver seguro em todos os flancos. Evite-o enquanto ele parecer mais forte.
- É melhor conservar um inimigo intacto do que destruí-lo. E isso por um motivo simples: se você capturar seus soldados e os conquistar, poderá dominar os chefes deles.

80

Cada mestre não tem mais que um aluno e esse aluno lhe será infiel, pois está predestinado a ser mestre também

NA TRADIÇÃO ZEN, *mondo* são diálogos breves entre o mestre e seu discípulo. Um dos mais famosos é o que conta a história de um estudante que, acidentalmente, quebrou um vaso de grande valor que pertencia a seu mestre.

Ao saber que ele se aproximava, o aluno recolheu os cacos do vaso e os escondeu sob o hábito.

Quando o professor entrou na sala, o pupilo lhe perguntou:

– Por que morremos, mestre?

– Trata-se de algo natural – respondeu. – Tudo tem um princípio e um fim. Tudo deve viver o tempo que lhe convier e nada mais. Depois, deve morrer.

O estudante então deixou cair os cacos do vaso no chão e disse:

– Chegou a hora da morte para o seu vaso, mestre.

81

O mundo real é muito menor que o mundo da imaginação

Júlio Verne disse certa vez: "Tudo o que uma pessoa pode imaginar, outras transformarão em realidade." E certamente ele constitui o mais perfeito exemplo disso, já que muitas das invenções de seus livros – o submarino e o foguete, para não ir mais longe – acabaram se tornando realidade.

Einstein afirmava que quem tem imaginação tira do nada um mundo. Por sua vez, o poeta espanhol Gustavo Adolfo Bécquer dizia que "a imaginação serve para viajar e custa bem menos".

Os especialistas em criatividade oferecem alguns conselhos para quem quer melhorar sua capacidade imaginativa:

- Entre em sintonia com sua intuição e seu pensamento lateral (não lógico).
- Desprenda-se de hábitos monótonos que não servem para nada.
- Alimente seu cérebro com bons livros, filmes e jogos.
- Reserve um tempo para que a fantasia possa viajar pela sua cabeça livremente.
- Pense em coisas improváveis.
- Pratique o brainstorming.
- Leve um caderno de ideias sempre com você.
- Tome nota dos seus sonhos mais interessantes.

82

Se você for magoado por um amigo, diga a ele: "Eu o perdoo pelo que me fez, mas como poderia perdoá-lo pelo que fez a si mesmo?"

AMIZADES PERIGOSAS – como identificar um vampiro que se alimenta da energia alheia:

- a) São pessoas solícitas e, no início, extremamente amáveis. Diante de qualquer dificuldade, são as primeiras a entrar em contato, interessadas em nossos problemas, mesmo que mal nos escutem.
- b) Na primeira oportunidade, expõem seus problemas pessoais, tema que monopolizará as conversas.
- c) Se falarmos com esses indivíduos sobre algum projeto que nos entusiasme, eles nos darão argumentos para não seguirmos adiante, já que se comparam o tempo todo aos demais e não querem ver suas vítimas levando vantagem sobre eles.
- d) Tendem a censurar e culpar as pessoas próximas, e provavelmente farão o mesmo em relação a nós quando estiverem com outros amigos.
- e) Mesmo que evitemos manter contato com pessoas assim, elas não desistirão e tentarão marcar novos encontros, pois atuam em um círculo social reduzido.
- f) Eis o sinal mais característico de que estivemos com um vampiro que sugou nossa energia: após o encontro, nos sentimos muito cansados e desanimados.

83

A esperança é muito mais estimulante que a sorte

A MITOLOGIA GREGA CONTA que Pandora abriu a tampa da caixa proibida e aproximou o rosto da pequena abertura, mas teve que se afastar rapidamente, espantada. Uma fumaça densa e negra saía da caixa em espirais enquanto mil horríveis fantasmas se formavam naquelas nuvens que invadiam o mundo e escureciam o Sol.

Eram todas as doenças, as dores, os horrores e os vícios do mundo. Todos saíam da caixa de forma violenta, entrando nas tranquilas moradas dos homens.

Pandora tentou fechar a caixa e evitar que mais males escapassem, para remediar o desastre, mas foi em vão. O destino inexorável se cumpria e, desde então, a vida dos homens foi assolada por todas as desventuras desencadeadas por Zeus.

Quando a fumaça se desfez e a caixa parecia vazia, Pandora olhou para dentro dela e viu um lindo passarinho de asas cintilantes. Era a Esperança. Ela se apressou em fechar a caixa, impedindo que a Esperança escapasse também.

Dessa forma, a Esperança se conserva guardada no fundo de nosso coração.

84

O que não nos mata nos fortalece

EM SEUS ÚLTIMOS ANOS, Sigmund Freud disse as célebres palavras: "Agradeço à vida por nada ter sido fácil para mim."
Ainda que a existência do criador da psicanálise tenha sido repleta de dificuldades, indivíduos como o neuropsiquiatra francês Boris Cyrulnik – que escapou ainda criança do campo de concentração onde morreu toda a sua família – passaram por circunstâncias muito mais dramáticas. Porém, em vez de causar sua destruição, essas experiências aumentaram sua força e fizeram dele uma pessoa mais sábia.

Trata-se de um processo chamado resiliência, que Cyrulnik comenta em *Os patinhos feios*:

> A resiliência é a arte de navegar pelas correntezas. Um trauma transtornou o ferido e o conduziu numa direção na qual preferia não ter ido. Pelo fato de ter caído em uma corrente que o arrastou e o levou até uma cascata de problemas, o resiliente recorrerá aos recursos internos impregnados em sua memória e deverá lutar para não se deixar arrastar pelo curso natural dos traumas.

Se a correnteza não nos mata, como diz Nietzsche, acabamos ganhando uma experiência essencial que nos ajudará a salvar a nós mesmos e às demais pessoas em futuras provações.

85

Quem vê mal sempre vê pouco. Quem escuta mal sempre escuta demais

No poema intitulado "Razões adicionais para os poetas mentirem", Hans Magnus Enzensberger criticou o uso que os seres humanos fazem da linguagem, nem sempre utilizada em prol da verdade.

Ele disse, por exemplo, que "o instante em que a palavra feliz é pronunciada nunca é o instante da felicidade", talvez porque a felicidade exija uma entrega de todos os nossos sentidos para que possamos vivenciá-la. No momento em que queremos capturá-la, analisá-la e rotulá-la, permitimos que nos escape.

Sobre isso, o escritor e filósofo Eric Hoffer comentou: "A busca da felicidade é uma das principais fontes de infelicidade." E o dito popular nos aconselha: "Se você quer ser feliz, não analise."

Quando racionalizamos as vivências e buscamos intenções para elas, perdemos sua essência. Por isso Nietzsche nos lembra que, às vezes, só ouvimos o que queremos ouvir, já que o murmúrio das nossas ideias preconcebidas se sobrepõe à realidade, sempre mais simples que a opinião que formamos dela.

O exercício do filósofo – e de todos que desejam pensar com clareza – é corrigir sua visão para que seja a mais abrangente possível e não ceder às opiniões da maioria.

86

Toda vez que me elevo, sou perseguido por um cachorro chamado Ego

Nosso ego é uma das principais fontes de sofrimento e estresse a que estamos expostos, já que é insaciável e difícil de ser domado. Nem mesmo os mestres que teorizaram sobre o ego se livraram dele, como mostram as lutas de poder nas quais frequentemente se envolviam.

Ken Wilber, mestre espiritual, pensa o seguinte sobre a questão:

Acho lamentável que as pessoas imaginem que os sábios não têm problemas com as coisas que são complicadas para todo mundo – por exemplo, o dinheiro, a comida, o sexo. É como se estivessem acima de tudo isso, como se fossem apenas cabeças pensantes, como se a religião não servisse para viver a vida com mais plenitude, mas sim para evitá-la, reprimi-la, negá-la e fugir dela, e assim nos liberar dos impulsos e instintos inferiores.

Na realidade, o mero fato de se tornar mestre de alguém é uma bela demonstração de ego, pois, como insistia o filósofo indiano Krishnamurti, "a autoridade corrompe tanto o mestre quanto o discípulo". E nem mesmo quem pronunciou essas palavras se privou do exercício da autoridade.

87

Todo idealismo perante a necessidade é um engano

Um dos slogans da greve geral na França ocorrida em maio de 1968 era: "Seja realista: peça o impossível." Esse lema de grande beleza estética certamente teria feito Nietzsche se revirar na tumba.

Para ilustrar a tríade otimista-pessimista-realista, um dito popular conta que o otimista inventou o avião, o pessimista não viaja de avião e o realista embarca usando paraquedas.

Provavelmente existem momentos na vida para seguir cada uma das três abordagens. Por exemplo, diante de um projeto pessoal é preciso ser otimista desde o início, mas também pessimista na hora de se prevenir de futuras dificuldades e realista para administrar os esforços que, dia após dia, nos levarão em direção à nossa meta.

Voltando ao pensamento de Nietzsche, ser idealista é uma boa forma de passar pelo mundo sem nos embrutecer nem renunciar a nossos sonhos antes do tempo. No entanto, a realização desses sonhos exige uma boa dose de sentido prático.

Os sonhos são projetados por nosso arquiteto interior, mas, para transformá-los em realidade, é preciso despertar o pedreiro que também vive em cada um de nós.

88

Você tem o seu caminho. Eu tenho o meu. O caminho correto e único não existe

EIS O TRECHO DE um poema de Robert Frost:

> Diante de mim havia duas estradas.
> Escolhi a estrada menos percorrida
> E isso fez toda a diferença.

Seguindo a mesma linha, M. Scott Peck, em *A trilha menos percorrida*, adverte que nada é fácil quando saímos da rota mais comum: "É humano – e sábio – temer o desconhecido, ficar ao menos um pouco apreensivo ao embarcar em uma aventura. No entanto, é somente com as aventuras que aprendemos coisas importantes."

Ele explica, em seu livro, que o crescimento pessoal é uma tarefa árdua e complexa, que dura a vida toda, e um caminho no qual não existem muitos atalhos, basicamente porque os atalhos são construídos, passo a passo, com as pegadas das próprias pessoas. No entanto, essa maneira de caminhar em direção ao desconhecido contém sabedoria e realização. Para Peck,

> é provável que nossos momentos mais sublimes ocorram quando nos sentirmos profundamente abatidos, infelizes ou descontentes. É somente nesses momentos que, movidos pela insatisfação, seremos capazes de sair da trilha já percorrida e buscar respostas mais verdadeiras em outros caminhos.

89
Toda convicção é uma prisão

Existe uma história no livro *Era uma vez uma empresa*, de Gabriel García de Oro, que fala do perigo de nos deixarmos aprisionar pelas certezas que moldam nossa realidade, como adverte Nietzsche.

Um homem vivia ao lado de uma estrada, onde vendia rosquinhas deliciosas. O negócio ia tão bem que ele já não ouvia rádio, não lia jornais nem dava muita bola para a televisão. Pôde até investir em publicidade e as pessoas não paravam de comprar seus produtos. Os lucros só aumentavam e ele reinvestia cada vez mais em seu negócio.

No verão, recebeu a visita do filho, que voltava da universidade onde cursara uma pós-graduação em administração de empresas. O rapaz, ao ver tudo o que tinha o pai, indagou:

– Pai, você não escuta rádio nem lê jornais? Estamos passando por uma crise enorme. Você vai falir.

O pai pensou: "Meu filho tem estudos. É bem informado. Sabe do que está falando."

Assim, o homem passou a comprar menos ingredientes para reduzir sua produção de rosquinhas. Diminuiu os gastos e cortou o investimento em publicidade. As vendas caíam dia após dia e, em pouco tempo, o negócio entrou no vermelho. Então ele ligou para o filho na universidade e disse:

– Você tinha razão, filho. Estamos vivendo uma crise muito grande.

90

Nossa vida nos parece muito mais bonita quando deixamos de compará-la com as dos outros

O FATO DE NOS COMPARARMOS com os outros não deixa de ser uma desculpa para deixarmos de lado a difícil tarefa de construir nossa própria vida.

Enquanto olhamos para o lado, observando o que fulano e beltrano estão fazendo, comparamos nossa vida à dos outros e nos lamentamos pelo que não temos. No entanto, cada um de nós está imerso em seu caminho e o caminho percorrido pelos demais tem pouco valor para nós.

No romance *Sidarta*, Hermann Hesse narra o encontro do protagonista com Buda, a quem critica por pretender conduzir as pessoas por meio de sua doutrina em direção a etapas do desenvolvimento pessoal que só podem ser alcançadas com esforço próprio.

> Não duvidei nem por um momento de que o senhor seja Buda e que tenha alcançado a meta suprema a que aspiram tantos milhares de brâmanes. A libertação da morte, resultado de uma busca que levou a cabo em seu caminho, o senhor alcançou com o pensamento, a meditação, o conhecimento e a iluminação. Não com o uso de uma doutrina! Na minha opinião, ó Sublime, ninguém chega à libertação por meio de uma doutrina. A ninguém, ó Venerável, o senhor poderá comunicar com palavras e mediante uma doutrina o que lhe ocorreu no exato instante de sua iluminação.

91

As pessoas se esquecem de seus erros depois de confessá-los ao outro, mas o outro normalmente não se esquece

NIETZSCHE AFIRMAVA QUE "são poucos os que não revelam os segredos mais importantes de um amigo".

Em outras palavras, somos donos do que calamos e escravos do que dizemos. Por isso mesmo devemos tomar cuidado com o que contamos e a quem contamos, pois uma informação que para nós já não é relevante poderá ressurgir no momento menos oportuno.

É preciso ter cuidado especial com as pessoas que assumem o papel de interrogadoras para roubar nossa energia, segundo a teoria do escritor James Redfield:

> Quem interroga analisa o mundo do outro com a intenção específica de encontrar algo censurável. Quando encontra, critica esse aspecto da vida do outro. (...) Depois, este se sente inibido e intimidado, e presta atenção no que o interrogador faz e pensa, tentando não fazer nada de errado que possa ser notado. Essa deferência psíquica fornece ao interrogador a energia que ele tanto deseja.

92

Eis a fórmula da felicidade: um sim, um não, uma linha reta, uma meta

AO LONGO DE TODA A HISTÓRIA do pensamento, os intelectuais se sentiram tentados a nos dar sua receita de felicidade. Na filosofia moderna, Schopenhauer expôs suas ideias a esse respeito no livro *A arte de ser feliz* e Bertrand Russell, em *A conquista da felicidade*.

Um século antes de Nietzsche, Goethe já tinha estabelecido seus oito requisitos para se ter uma vida plena:

1. Saúde o bastante para trabalhar com prazer.
2. Força para lutar contra as dificuldades e superá-las.
3. Capacidade de admitir os próprios erros e se perdoar.
4. Paciência para perseverar até atingir o objetivo.
5. Caridade para ver algo bom no próximo.
6. Amor para ser útil às pessoas.
7. Fé para transformar em realidade as coisas divinas.
8. Esperança para afastar os temores acerca do futuro.

93

A melhor maneira de começar o dia é se comprometer a fazer feliz ao menos uma pessoa antes de o sol se pôr

SEGUINDO A LINHA DOS LIVROS que tratam da felicidade, *A viagem de Heitor*, de François Lelord, conta a história de um jovem psicoterapeuta francês cujo consultório era frequentado por uma clientela fiel e seleta.

Vista de fora, sua posição parecia invejável, mas ele não era feliz. Ao entender que sua infelicidade vinha, precisamente, de não poder fazer seus pacientes felizes, ele se deu conta de que, por mais riquezas que possua e prazeres que desfrute, ninguém está satisfeito consigo mesmo. Isso levou Heitor a fazer várias perguntas a si mesmo: por que não somos capazes de apreciar a vida que temos e passamos o tempo todo sonhando com outra vida melhor? A chave da felicidade está no sucesso material ou no relacionamento com as pessoas?

Para entender o que torna as pessoas felizes, o médico realizou uma viagem pelos quatro cantos do mundo em busca do verdadeiro segredo da felicidade.

Entre as muitas conclusões a que chegou, uma é especialmente simples e iluminada: "A felicidade consiste em fazer as outras pessoas felizes."

94

A simplicidade e a naturalidade são o objetivo supremo e último da cultura

Oscar Wilde dizia que os prazeres simples são o último refúgio dos homens complicados.

Um dos precursores da autoajuda, Henry David Thoreau, quis experimentar a vida simples e por isso viveu dois anos no meio da floresta. Dessa experiência surgiu seu livro *Walden*, publicado em 1854 e referência até hoje.

Estas são algumas das conclusões às quais chegou Thoreau em seu retiro campestre:

- A pessoa mais rica é aquela cujos prazeres são os menos dispendiosos.
- Nossa civilização consiste em milhões de seres vivendo juntos, num espaço restrito, em total solidão.
- A natureza é o único local onde um ser humano pode se encontrar consigo mesmo.
- As coisas não mudam – nós mudamos.
- Seguir a trilha dos próprios sonhos e viver a vida que desejamos é garantia de sucesso.
- Investir em bondade é o melhor negócio que você pode fazer.

95

A vida não é muito curta para que fiquemos entediados?

Eis uma boa receita contra o tédio:

1. Abandone todos os compromissos desnecessários que não trazem mais que tédio e mau humor à sua vida.
2. Afaste-se pouco a pouco de todas as pessoas que se queixam o tempo todo e nunca lhe dizem algo realmente interessante.
3. Pergunte a si mesmo se o seu trabalho é estimulante o bastante ou se você poderia exercer outra atividade mais motivadora.
4. Recupere velhos projetos que sempre quis levar adiante, como aprender um idioma, tocar um instrumento, fazer um curso de teatro etc.
5. Altere as rotinas que regeram sua vida nos últimos anos, mesmo que seja só para experimentar.
6. Frequente outros ambientes, onde poderá conhecer pessoas diferentes.
7. Aprenda pelo menos uma coisa nova a cada dia.
8. Cometa uma pequena loucura de vez em quando.

96

Não atacamos apenas para machucar o outro, para vencê-lo, mas, algumas vezes, pelo simples desejo de adquirir consciência de nossa força

ESTE PENSAMENTO DE NIETZSCHE está em sintonia com *O príncipe*, de Maquiavel, manual clássico – e pouco ético, de uma perspectiva atual – sobre a conservação do poder.

> Auxilia muito a um príncipe dar de si exemplos raros quanto ao governo interno, quando se tem a ocasião de encontrar alguém que faça algo extraordinário na vida civil, ou para o bem ou para o mal, e escolher um modo de premiá-lo ou puni-lo. E um príncipe deve esforçar-se para obter para si, em todas as suas ações, a fama de grande homem e de excelente habilidade. (...) Muitos julgam que um príncipe sábio deve, quando tem a ocasião, com astúcia, alimentar algumas inimizades a fim de que, oprimido [o povo] por elas, essa seja maior a sua grandeza.

Eis outros conselhos que Maquiavel dá aos príncipes:

- Não se deve atacar o poder quando não se sabe se é possível destruí-lo.
- É preciso corromper ou oprimir os homens, pois eles se vingam de ataques menores, já que não podem se vingar dos maiores.
- As injustiças devem ser feitas todas de uma vez, pois, quando há menos tempo para absorvê-las, elas causam menos danos. Já os favores devem ser concedidos pouco a pouco, para que sejam mais bem apreciados.

97

Nossas carências são nossos melhores professores, mas nunca mostramos gratidão diante dos bons mestres

FAZER DA CARÊNCIA UM NOVO caminho, em vez de um motivo de frustração, é o que diferencia as mentes criativas das que se conformam com o fracasso.

Existe um episódio protagonizado pelo violinista israelita Itzhak Perlman que vem sempre a calhar quando se fala em limitações. O músico precisava de muletas para se locomover, pois tivera poliomielite quando criança.

Itzhak se apresentava no Lincoln Center, em Nova York, quando, logo depois de começar a tocar, uma corda de seu violino arrebentou. O público imaginou que o concerto seria interrompido, pois trocar e afinar uma corda de violino não é tarefa fácil. Mas ele continuou tocando com as cordas restantes. É quase impossível executar uma partitura escrita para as quatro cordas do violino com apenas três, mas, para surpresa de todos, ele conseguiu.

Ao terminar o concerto, o músico foi ovacionado. Ele então enxugou o suor da testa, ergueu o arco do violino pedindo silêncio e disse: "Sabe de uma coisa? Às vezes a tarefa do artista é ver o que pode ser feito com o que lhe resta."

98

Quem fica remoendo alguma coisa se comporta de maneira tão tola quanto o cachorro que morde a pedra

O VALOR DO QUE FAZEMOS ou sentimos só pode ser determinado em função de sua utilidade. Se alguma coisa pode ser alterada no presente, vale a pena investir nisso todo o nosso esforço. O problema, como disse Nietzsche, é quando algo que fizemos no passado nos consome, algo que não podemos corrigir.

Esta é a opinião do mestre vietnamita Tich Nhat Hanh:

> Quando pensamos no passado podemos experimentar sentimentos de arrependimento ou de vergonha, e, ao pensar no futuro, sentimentos de desejo e medo. Mas todos eles surgem no presente e o afetam. Quase sempre, o efeito que nos causam não contribui para nossa felicidade nem para nossa satisfação. Temos que aprender a evitar esses sentimentos. O mais importante é saber que o passado e o futuro se encontram no presente e que, se nos ocuparmos do presente, seremos capazes de transformar o passado e o futuro.

Por isso, em vez de morder uma pedra, é melhor pensar no que fazer aqui e agora, com o que temos, para assim melhorar nossa vida.

99

O amor não é consolo – é luz

Eis os segredos de um sábio desconhecido para que seus sonhos se realizem:

- Evite todas as fontes de energia negativa, sejam elas pessoas, lugares ou hábitos.
- Analise tudo de todos os ângulos possíveis.
- Desfrute a vida hoje: o ontem já se foi e o amanhã talvez nunca chegue.
- A família e os amigos são tesouros ocultos – usufrua essas riquezas.
- Persiga seus sonhos.
- Ignore aqueles que tentarem desanimá-lo.
- Simplesmente faça.
- Continue tentando, por mais difícil que pareça, porque logo ficará mais fácil.
- A prática leva ao aperfeiçoamento.
- Quem desiste nunca ganha; quem ganha nunca desiste.
- Leia, estude e aprenda tudo o que for importante na vida.
- Deseje, mais que tudo no mundo, o que você quer que aconteça.
- Busque a excelência em tudo o que faz.
- Corra atrás de seus objetivos – lute por eles!

Anexo

A filosofia como terapia

Lou Marinoff pergunta a si mesmo em seu livro *Mais Platão, menos Prozac*: não seria um grande privilégio poder conversar sobre nossos medos, angústias ou qualquer tipo de aflição com os cérebros mais privilegiados da história? Certamente sentiríamos um grande alívio espiritual se dialogássemos sobre a morte com Platão ou Descartes. Descobriríamos facetas desconhecidas de nós mesmos se lêssemos Kant, Aristóteles ou Montesquieu.

É exatamente isso que propõem os filósofos terapeutas. Eles dizem que a psicologia e os medicamentos muitas vezes não bastam para que uma pessoa resolva suas neuroses. Os remédios não fazem com que se deixe de temer a morte, por exemplo, podendo ser contraproducentes em muitos casos.

O aconselhamento filosófico não é uma moda passageira. Na verdade, há quase 30 anos vem sendo praticado e já alcançou resultados muito satisfatórios em pessoas que sofriam uma decepção após outra com psicólogos ou psiquiatras, que oferecem tratamentos longos, caros, incômodos e, muitas vezes, prescrevem remédios com efeitos colaterais.

Os filósofos terapeutas ajudam seus clientes a identificar o tipo de problema que enfrentam para poder encontrar a melhor solução, que normalmente é o pensamento filosófico mais adequado à personalidade e à formação intelectual do cliente.

Uma das características que distinguem esses conselheiros é o fato de se concentrarem no presente e no futuro, evitando trazer à tona traumas de infância inutilmente. Afinal, já sabemos que não se pode alterar o passado.

Infelizmente, vivemos num mundo em que tudo é rotulado. Existe uma síndrome para qualquer coisa. Parece necessário inventar doenças que não existem. Mas os filósofos terapeutas lutam contra essa tendência. Eles se negam a ver transtornos mentais onde eles não existem.

Qualquer pessoa pode sofrer angústia emocional ao tentar entender o mundo e não deve ser considerada doente por isso. Todos nós sofremos com esse sentimento em algum momento.

A angústia ou ansiedade que surge diante da ideia da morte ou de uma mudança drástica nos faz buscar respostas para várias perguntas. Não somos tão originais, pois as mesmas questões foram feitas anteriormente e os grandes filósofos as responderam. Talvez as respostas não sejam as que buscamos, mas podem nos ajudar a encontrar nossa própria explicação e algum consolo.

As sessões com um filósofo terapeuta normalmente começam como uma conversa. Em algum momento, o cliente acaba formulando questões filosóficas e, ao saber que elas já tinham sido levantadas anteriormente, ele sente necessidade de se aprofundar no assunto. Finalmente, muitos resolvem ler as obras dos filósofos com que se identificam mais.

Uma série de estudos realizados nos Estados Unidos chegou à conclusão de que um em cada dois americanos sofre de doença mental. Os filósofos terapeutas tentam demonstrar que essa informação não é apenas equivocada, mas também um ardil para assustar uma sociedade muito influenciável. É certo que algumas pessoas precisam ser medicadas ou até mesmo internadas em centros psiquiátricos, mas a imensa maioria da população não está doente – simplesmente passa por um momento complicado e um pouco de boa filosofia pode ser de grande ajuda para superar esses períodos de crise.

Em *Mais Platão, menos Prozac*, Lou Marinoff nos fala do processo PEACE, que em português significa "paz". Trata-se de um acrônimo: **Problema, Emoção, Análise, Contemplação e Equilíbrio.**

Em primeiro lugar, o que devemos fazer é reconhecer o problema. Na maior parte das vezes, já sabemos de que se trata, sendo ele simples ou não.

Em seguida, precisamos identificar as emoções que provocam o problema.

Em terceiro lugar, é necessário analisar as opções que temos para resolvê-lo. O melhor seria neutralizar tanto o problema quanto as emoções que o causaram.

Quando chegamos à quarta parte, temos que retroceder para ganhar perspectiva – buscando uma visão global sobre o assunto – e então chegarmos ao quinto passo, o equilíbrio.

Depois de reconhecer o problema, identificar as emoções, analisar as opções que temos e formar uma visão global, estaremos preparados para tomar as decisões mais apropriadas.

Algumas pessoas são capazes de completar o processo em uma única sessão com a ajuda de um terapeuta. Por outro lado, outras demoram meses para chegar às mesmas conclusões. Cada qual deve seguir o próprio ritmo.

Todo mundo tem uma filosofia pessoal, ainda que a maior parte dos seres humanos não esteja preparada para utilizá-la, necessitando para isso de um guia. Quando os clientes finalmente percebem o tesouro que guardam em seu interior, tomam consciência de que sua vida acaba de se transformar e perdem muitos de seus medos, sentindo-se menos vulneráveis.

Os filósofos terapeutas não focam apenas nos escritos da filosofia ocidental, mas também utilizam os conhecimentos das filosofias orientais, como o hinduísmo, o budismo, o confucionismo e o taoísmo.

Segundo eles, uma pessoa com dificuldade de encontrar um parceiro amoroso ou de escolher o mais adequado deveria consultar a filosofia de Buda ou Lao-Tsé, passando por Aristóteles ou Sêneca.

Quem já tem um parceiro e quer manter a qualidade de seu relacionamento faria bem em ler Thomas Hobbes, Pitágoras, Sócrates ou, ainda que pareça estranho, Maquiavel.

Se é chegado o momento de grandes decisões e precisamos enfrentar o dilema de terminar ou não uma relação, não devemos deixar de consultar Ayn Rand, o Dalai-Lama, Immanuel Kant ou Jean-Paul Sartre.

Se estamos insatisfeitos no trabalho, temos um chefe tirano ou nos sentimos entediados com nossas atribuições, deveríamos ler Voltaire, Rousseau, Aristóteles e também o Bhagavad Gita.

Aos que se encontram na meia-idade, é possível superar a crise com o auxílio de Confúcio e Buda.

Se não sabemos o que fazer da vida, não temos um objetivo ou sentimos um grande vazio, evitaremos decisões equivocadas com os pensamentos de Simone de Beauvoir, Thomas Mann e Rudyard Kipling.

Também é possível superar o mais terrível dos medos: o da morte, seja a nossa ou a de um ente querido. O fato de que algum dia deixaremos de existir pode nos encher de angústia. Vale a pena tentar nos afastar dessa angústia conhecendo as ideias de Simone de Beauvoir, Lao-Tsé, David Hume e Confúcio.

Se pensar por si mesmo é algo que tende a desaparecer na cultura de massa, o fato é que muitos encontros filosóficos vêm sendo realizados pelo mundo todo. Esses eventos costumam ser organizados por filósofos terapeutas, que desempenham o papel de moderadores. Eles estão fazendo com que a filosofia volte a alimentar a mente das pessoas na vida cotidiana.

O conhecimento não ocupa espaço. Só nos falta vontade de pensar, comunicar e desligar a televisão por um tempo.

Vamos colocar filosofia em nossa vida!

Bibliografia recomendada

Amalfi, Francis, *El elixir de la felicidad*, Océano
Cyrulnik, Boris, *Os patinhos feios*, Martins Fontes
De Bono, Edward, *Os seis chapéus do pensamento*, Sextante
Frankl, Viktor, *Em busca de sentido*, Sinodal/Vozes
García de Oro, Gabriel, *Era uma vez uma empresa*, Sextante
Gómez, Teo, *El lector de Nietzsche*, Océano
Honoré, Carl, *Devagar – Como um movimento mundial está desafiando o culto da velocidade*, Record
Lelord, François, *A viagem de Heitor*, Sá Editora
Marinoff, Lou, *Mais Platão, menos Prozac*, Record
Scott Peck, M., *A trilha menos percorrida*, Nova Era

CONHEÇA OUTRO TÍTULO DO AUTOR

Ichigo-ichie

A expressão japonesa Ichigo-ichie foi usada pela primeira vez há meio milênio, pelo criador da tradicional cerimônia do chá, e pode ser traduzida como "o que estamos vivendo agora não se repetirá nunca mais".

A partir dessa premissa, Francesc Miralles e Hector García apresentam um livro encantador, capaz de nos fazer enxergar a beleza efêmera de cada instante.

No entanto, mais do que lembrar que nossa existência é breve, o Ichigo-ichie ressalta que estamos vivos e que, por isso, devemos aproveitar plenamente todas as nossas experiências.

Mesclando histórias inspiradoras e dicas práticas, os autores nos ensinam a:

- Criar conexões mais profundas com as outras pessoas.
- Abandonar a preocupação com o passado e o futuro para viver o agora.
- Organizar encontros e celebrações memoráveis.
- Integrar à nossa vida a filosofia zen que inspirou Steve Jobs.
- Valorizar cada momento, conscientes de que ele nunca se repetirá da mesma forma.

CONHEÇA ALGUNS DESTAQUES DE NOSSO CATÁLOGO

- Augusto Cury: Você é insubstituível (2,8 milhões de livros vendidos), Nunca desista de seus sonhos (2,7 milhões de livros vendidos) e O médico da emoção
- Dale Carnegie: Como fazer amigos e influenciar pessoas (16 milhões de livros vendidos) e Como evitar preocupações e começar a viver
- Brené Brown: A coragem de ser imperfeito – Como aceitar a própria vulnerabilidade e vencer a vergonha (600 mil livros vendidos)
- T. Harv Eker: Os segredos da mente milionária (2 milhões de livros vendidos)
- Gustavo Cerbasi: Casais inteligentes enriquecem juntos (1,2 milhão de livros vendidos) e Como organizar sua vida financeira
- Greg McKeown: Essencialismo – A disciplinada busca por menos (400 mil livros vendidos) e Sem esforço – Torne mais fácil o que é mais importante
- Haemin Sunim: As coisas que você só vê quando desacelera (450 mil livros vendidos) e Amor pelas coisas imperfeitas
- Ana Claudia Quintana Arantes: A morte é um dia que vale a pena viver (400 mil livros vendidos) e Pra vida toda valer a pena viver
- Ichiro Kishimi e Fumitake Koga: A coragem de não agradar – Como se libertar da opinião dos outros (200 mil livros vendidos)
- Simon Sinek: Comece pelo porquê (200 mil livros vendidos) e O jogo infinito
- Robert B. Cialdini: As armas da persuasão (350 mil livros vendidos)
- Eckhart Tolle: O poder do agora (1,2 milhão de livros vendidos)
- Edith Eva Eger: A bailarina de Auschwitz (600 mil livros vendidos)
- Cristina Núñez Pereira e Rafael R. Valcárcel: Emocionário – Um guia lúdico para lidar com as emoções (800 mil livros vendidos)
- Nizan Guanaes e Arthur Guerra: Você aguenta ser feliz? – Como cuidar da saúde mental e física para ter qualidade de vida
- Suhas Kshirsagar: Mude seus horários, mude sua vida – Como usar o relógio biológico para perder peso, reduzir o estresse e ter mais saúde e energia

sextante.com.br